Two week loan

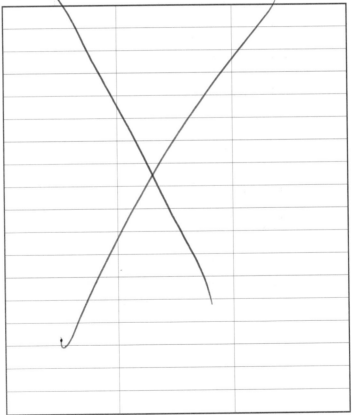

DE L'ALLEMAGNE,
DE LA FRANCE

FRANÇOIS MITTERRAND

DE L'ALLEMAGNE, DE LA FRANCE

EDITIONS
ODILE JACOB

IL A ÉTÉ TIRÉ DE CET OUVRAGE TRENTE EXEMPLAIRES
SUR VÉLIN PUR CHIFFON DES PAPETERIES DE LANA
DONT VINGT EXEMPLAIRES NUMÉROTÉS DE 1 À 20 ET
DIX EXEMPLAIRES, HORS COMMERCE, NUMÉROTÉS DE
I À X.

© ÉDITIONS ODILE JACOB, AVRIL 1996
15, RUE SOUFFLOT, 75005 PARIS
http://www.odilejacob.fr

ISBN : 2-7381-0403-7

NOTE DE L'ÉDITEUR

Jusqu'à la fin, François Mitterrand aura écrit. C'est en Égypte, ultime voyage, qu'il livra son dernier combat, arrachant à la souffrance et à la maladie les pages finales de ce manuscrit.

En nous léguant aujourd'hui cet ouvrage posthume, François Mitterrand a voulu inscrire son œuvre politique dans son œuvre littéraire. Ce texte témoigne en outre de l'heureuse rencontre, marquée au sceau de l'effort et de la volonté, entre la littérature et l'action, les deux passions de sa vie.

De l'Allemagne, de la France éclaire tout particulièrement sa contribution à la réconciliation entre les deux pays. François Mitterrand avait entrepris de traiter également de son action au service de la France durant les crises – celle du Golfe et celle de Yougoslavie. La mort l'a interrompu, ne lui laissant que le temps de rédiger les réactions de l'étranger à son élection de 1981. Ce chapitre constitue donc son dernier écrit.

Je remercie Dominique Bertinotti de son concours et Brigitte Sauzay-Stoffaës de sa lecture attentive et des précisions qu'elle a bien voulu apporter.

Odile Jacob

LA FRANCE
ET L'UNIFICATION DE L'ALLEMAGNE

Tout a commencé à Moscou. Une dictature ne survit pas au doute. Or la perestroïka de Mikhaïl Gorbatchev exprimait un doute fondamental sur le système soviétique. Mais la perestroïka qui se voulait réforme et non révolution rencontra bientôt ses limites, et ne put qu'ébranler la vieille maison en bousculant les hiérarchies de l'appareil d'État. Khrouchtchev et Brejnev, devant la répétition des ratés annonciateurs de la panne finale, s'y étaient essayés, chacun à sa manière. Peine perdue. Ayant considéré la réforme comme un moyen supplémentaire d'affermir leur pouvoir, ils l'avaient ruinée dans son essence et la nomenklatura avait tôt fait de remettre les choses en place. Pour en finir avec la révolution marxiste-léniniste, il fallait une autre révolution qui au nom d'une autre idéologie ferait, à son tour, table rase du passé. La perestroïka n'avait pas cette ambition, semblable à ces premières esquisses de la Révolution française quand certains Constituants pensaient sauver la monarchie tout en abolissant les privilèges et en refusant le veto du Roi.

Mais rien ne fut plus comme avant. La perestroïka donna le signal et l'élan. Partie de Moscou, la nouvelle révolution, irrésistible cette fois, devait y revenir, après un tour d'Europe des capitales communistes. Les auteurs du putsch manqué d'août 1991 ne s'étaient pas trompés d'adresse en destituant Gorbatchev. C'est bien par lui et avec lui que le grand vent de la liberté avait emporté soixante-dix ans d'histoire à son passage.

Je ne pense pas que l'histoire moderne ait connu événement aussi considérable et aussi surprenant par sa soudaineté que la chute de l'empire soviétique. Quarante-deux ans plus tôt, l'Allemagne nazie vaincue, Staline avait poussé les feux pour occuper, sous prétexte de les libérer, la plupart des pays d'Europe centrale et orientale. Oubliant sur l'heure l'engagement pris à Yalta devant ses partenaires anglo-saxons de procéder partout à des élections libres, il avait assuré son empire militaire et, à partir de là, imposé l'idéologie et le système économique par lesquels il entendait conduire ses armes à la conquête du monde.

Or, sans guerre perdue, sans coup d'État, sans résistance organisée, sans complot, l'empire s'est écroulé de lui-même, sur lui-même, rongé de l'intérieur, ses fonctionnaires robotisés, son économie ruinée, ses références théoriques vidées de signification, formidable moulin à prières sous un ciel vide. Durant le long règne de Brejnev, étaient apparus les signes du déclin. Mais ils étaient difficiles à lire. M'efforçant de les déchiffrer, peu après mon élection à la présidence de la République, je me souviens d'avoir demandé à mes proches collaborateurs et d'abord au premier d'entre eux, Pierre Bérégovoy, d'ordonner nos réflexions de politique extérieure autour d'une hypothèse majeure : en l'an 2000, c'en serait fini de l'empire soviétique. J'avais repris ce thème en 1982 lors d'une conversation avec le Chancelier allemand Helmut Schmidt auquel j'avais dit : « L'unification de l'Allemagne est inscrite dans l'Histoire. Il faudra que l'empire soviétique se soit affaibli, ce qui interviendra dans les quinze ans », puis, en 1984, avec Margaret Thatcher qui, sceptique, m'entendit lui répéter : « À mon sens, à la fin du siècle, l'empire soviétique se sera effondré... L'Union soviétique ne tiendra pas la distance. » Encore avais-je tiré trop long. Moins cependant que beaucoup d'autres et notamment que nombre de dirigeants politiques et d'éditorialistes occidentaux qui continuaient de dénoncer la fragilité des démocraties, jugées trop faibles par nature, trop instables pour résister, image convenue, au « rouleau compresseur stalinien ». Seul l'équilibre de la terreur et des blocs militaires garantissait à leurs yeux l'ordre issu de la guerre. Cet ordre rassurait. D'abord parce que c'était un ordre. Ensuite, parce que c'était celui-là. Depuis soixante-dix ans on avait des points de repère. On savait de quoi on parlait. Craint, détesté, l'empire soviétique n'en paraissait pas moins indispensable à l'équilibre général. J'avais irrité, à l'Ouest autant qu'à l'Est, quand, lors de mes vœux aux Français du nouvel an 1982, j'avais souhaité la fin de l'Europe de Yalta. Cette réaction ne m'avait pas étonné. Il était tellement plus commode de s'abriter derrière les idées toutes faites, les données répertoriées, que d'imaginer l'après-communisme et, par voie de conséquence, une Europe livrée à elle-même qui ne ressemblerait à aucune forme antérieure, à moins qu'elle ne retournât aux confusions

du Moyen Âge. Les États-Unis, de leur côté, se satis-
faisaient d'une situation qui limitait à un duo la direction de la planète et permettait de régler en tête à tête
l'arbitrage ou la police des conflits régionaux, l'ampleur
et le rythme de l'armement ou du désarmement, la
maîtrise de l'espace. De plus, la simplicité réductrice
du couple capitalisme-communisme étouffait toute
autre façon de considérer la société, de concevoir son
adaptation aux besoins qui naissaient de l'évolution des
techniques et des mœurs, ce qui arrangeait beaucoup
de monde.

Redisons-le, l'empire soviétique tomba sous son
propre poids. Accompagnement funèbre pour une
autre agonie, les morts successives, en moins de trois
ans, de Brejnev et de ses successeurs Andropov et
Tchernenko, précipitèrent le dénouement en laissant la
voie ouverte à Mikhaïl Gorbatchev que l'appareil et les
hiérarques du Parti avaient écarté lors de la succession
précédente, mus sans doute par l'obscur pressentiment
de ce qui allait suivre.

J'avais rencontré Gorbatchev en 1984, au dîner
solennel organisé pour ma visite d'État en Union soviétique, où m'avait invité Tchernenko. J'ai raconté ailleurs l'attitude et le langage, très différents de l'ordinaire en ces lieux, du futur Président soviétique.
Quand, dans le toast que je portai, au début du dîner,
je prononçai le nom de Sakharov, à l'époque en résidence surveillée, un silence épais s'établit sous les
voûtes d'Ivan le Terrible et les visages se fermèrent. On
murmura autour des tables que l'offense ne serait pas
acceptée, que mon voyage allait tourner court. Mais
quand j'eus terminé, j'entendis Gorbatchev reprendre,

avec le sourire, la conversation au point où elle s'était interrompue pour signaler à Tchernenko, qui dut le lui faire répéter, le délabrement du *Gosplan* et ses conséquences désastreuses sur la production agricole. Je le revis peu après aux obsèques de ce dernier. Un entretien d'une heure me convainquit que l'Union soviétique changeait d'époque. Cette impression fut confirmée par les longs échanges de vues qui nous réunirent à Paris, en 1985, à l'occasion du premier voyage officiel de Mikhaïl Gorbatchev dans un pays occidental. Le matin de son départ, dans mon bureau de l'Élysée, il posa sa main sur la mienne, me regarda droit dans les yeux et dit : « L'Union soviétique a besoin de liberté et d'initiative, elle a besoin de démocratie. Rien ne nous sera possible autrement. Cela prendra du temps. Il faut que vous m'aidiez. » Était-il sincère ou seulement habile ? Je fis savoir à mes principaux partenaires de l'Alliance atlantique, particulièrement à Ronald Reagan, que j'optais pour la sincérité et qu'il convenait d'en tenir compte.

C'est également à l'occasion de la rencontre de Paris que Mikhaïl Gorbatchev s'exerça au jeu périlleux et salubre de la conférence de presse, telle qu'elle se pratique à l'Ouest, où tout responsable est soumis, à découvert, aux questions, généralement acides ou brutales, des journalistes du monde entier. Et c'était bien la presse du monde entier qui s'entassait, cet après-midi-là, sous les ors du salon d'honneur de l'Élysée. Il excella aussitôt à ce genre d'exercice. J'observai cependant l'impossible dialectique à laquelle il se livrait, désireux à la fois de souligner son attachement au communisme (celui de Lénine avait-il précisé, l'après-midi à la Sorbonne) et la nécessité d'en sortir. Cher-chait-il à répondre, du même discours, aux interroga-tions de sa conscience et aux soupçons de la nomenklatura qui l'attendaient, aux aguets, à Moscou ? Quand nous nous retrouvâmes peu de mois après, au Kremlin, je constatai que sous l'agilité tactique des mots sa pensée se précisait.

J'y reviendrai lorsque j'aborderai les problèmes propres à l'unité allemande. On mesure en tout cas aujourd'hui l'influence décisive qu'eurent Mikhaïl Gorbatchev et la perestroïka sur le processus qui conduisit au bouleversement de l'équilibre européen, à la libération des peuples d'Europe centrale et orientale, au nouveau cours des affaires du monde.

Les historiens situeront probablement en 1987 le moment où basculèrent les régimes communistes des pays satellites. C'est cette année-là que Gorbatchev décida de ne pas les soutenir par la force. Prit-il cette décision par une juste appréciation des moyens dont l'Union soviétique disposait pour imposer sa loi, et donc par simple réalisme, ou voulut-il favoriser l'accès au pouvoir dans ces pays de nouveaux dirigeants qui lui seraient acquis, ou bien encore eut-il la claire per-ception d'une évolution désormais fatale, et finalement désirée ? Lui seul pourrait répondre à ces questions.

J'incline à croire que, dès son avènement et peut-être avant, ayant sous les yeux le spectacle en accéléré de la décomposition du système dont il avait la charge, informé par ses lectures, rendu curieux par ses voyages de ce qui se passait au-dehors de la société communiste, il avait tiré la leçon dont j'avais été le confident à Paris : sans initiative ni liberté, rien de possible. La perestroïka

qu'il lança peu après sa désignation au poste de Secrétaire général du parti communiste d'Union soviétique
en témoigne. Vadim Zagladine, son proche conseiller
au Kremlin, en compagnie duquel il avait visité la
France à titre privé en 1979, et qui venait me voir de
temps à autre, avait attiré mon attention sur la personnalité hors série de ce dirigeant encore peu connu
(« homme libre dans ses pensées et dans ses juge-
ments », m'avait-il dit) et sur sa volonté d'entreprendre
une révolution par la loi si jamais il était appelé à gou-
verner. L'homme d'affaires communiste, animateur
d'Interagra et personnalité attachante, Jean-Baptiste
Doumeng, connaisseur aigu des arcanes du Kremlin,
m'avait tenu des propos semblables et avait suggéré
qu'une relation s'établît entre Gorbatchev et moi. L'un
et l'autre pensaient que, si la mort lui en avait laissé le
temps, Andropov aurait inauguré le changement et se
disaient assurés que Gorbatchev, du cercle de ses fami-
liers, reprendrait le flambeau.

Mais d'autres éléments pesèrent sur ses choix. Au
cours des années précédentes, un courant d'opinion,
dans le sillage d'intellectuels, d'artistes, de syndicalistes,
commençait d'entraîner les peuples vers le refus et la
révolte. L'influence des Églises, catholique et réformée,
se révélait déterminante. L'autorité spirituelle de Jean-
Paul II se confondit, en l'impulsant, avec le puissant
élan national qui souleva la Pologne rassemblée autour
de ses évêques et de leur bras séculier Solidarnosc. À
quatre-vingt-dix ans, le cardinal Tomasek, du fond de
son palais archiépiscopal de Prague, à la tête d'un clergé
persécuté et dispersé, exprimait l'âme de la résistance
tchécoslovaque. En Allemagne de l'Est, l'Église luthé-

rienne assuma la même héroïque fonction. Et l'on se
souvient de l'entrée fulgurante sur la scène de la révolution roumaine du pasteur Tökés, à Timisoara. Sans
doute étaient-ils tous violemment hostiles à l'idéologie
et au système communistes, prêts à déborder, et, le cas
échéant, à abattre Gorbatchev ; mais ce dernier garde
le mérite, qui n'appartient qu'à lui, d'avoir légitimé la
formidable insoumission qui allait ruiner l'ordre établi,
tandis que se réveillaient en Union soviétique les antagonismes nationaux et le désir de revanche des minorités opprimées. La perestroïka brisée, on entendit partout à l'Est monter le sourd tumulte annonciateur des
séismes où s'engloutissent les sociétés comme ils font
trembler la terre. Il est clair que Gorbatchev perçut
l'approche de l'explosion. Se crut-il assez fort pour la
contenir comme d'autres leurs expériences nucléaires
dans les épaisseurs de basalte ?

Mais les révolutions ne se laissent pas facilement
vitrifier. Gorbatchev allait vivre sous la double menace
du désastre économique qui le priverait, à mesure qu'il
avancerait, de sa liberté de mouvement politique, et de
la faiblesse d'institutions et de structures dont l'irréalité
commençait d'apparaître à tous tandis que s'effondrait
leur dernier support, le goulag. Plus je pense à ces
moments d'Histoire vécue et plus je m'émerveille de la
somme de travail, d'imagination, d'intelligence et de
courage fournie par le dernier homme d'État d'envergure qu'ait produit l'Union soviétique – et moins je
m'étonne de son échec final. Échec ? Oui, si l'on raisonne en termes de pouvoir, non, si l'on raisonne en
termes d'Histoire. Car tout a commencé à Moscou.

La double domination américaine et soviétique avait habitué les dirigeants occidentaux à se croire installés dans un temps immobile. Ils agissaient comme si les rapports de force sur notre continent étaient à jamais figés et attendaient des Allemands qu'ils se résignent à leur sort. Charles de Gaulle, qui connaissait l'Histoire et ses constantes, redoutait ce genre d'illusions. Il avait souhaité morceler l'Allemagne plus encore qu'elle ne l'avait été en 1945, assurer à la France le contrôle de la rive gauche du Rhin, internationaliser la Ruhr. Ses *Mémoires d'espoir* racontent qu'en mars 1960 il avait rappelé à Nikita Khrouchtchev un projet proposé seize ans plus tôt à Staline, et qui consistait, « sans briser le peuple allemand, à le ramener à la structure politique qui lui était naturelle et dans laquelle il avait vécu jusqu'à ce que la Prusse fît l'Empire à la faveur d'une défaite de la France. Chaque région, en tant qu'État, eût recouvré son ancienne autonomie. Toutes à égalité auraient organisé leur confédération, à l'exclusion d'un Reich centralisé ». Le même état d'esprit inspirait les instructions envoyées à Berlin au général Koetz, représentant français au conseil de contrôle allié afin « qu'il use de son droit de veto contre toute proposition allant dans le sens du rétablissement de l'unité allemande », thème sur lequel François Mauriac broda à sa manière : « J'aime tellement l'Allemagne que je suis content qu'il y en ait deux. » De Gaulle et Mauriac, en vérité, exprimaient ce que pensait la majorité des Français. Tel n'était pas mon sentiment. J'avais la conviction qu'en dépit des fautes du IIe Reich et des crimes du IIIe, après tant de souffrances et de sacrifices subis, après tant d'espérances aussi, l'unité d'un peuple qui, dans sa diversité, se sentait, se voulait d'abord allemand était irréversible. La ligne de séparation, tracée en pleine chair de l'Allemagne bismarckienne, reflétait la fortune des armes à un moment donné, dans des circonstances données. Elle ne signifiait rien de plus qu'un simple constat des lieux au lendemain d'une défaite. Apparemment du moins. Car, si l'Allemagne de l'Est, passée sous contrôle soviétique, ne se bornait pas à la Prusse, la Prusse s'y trouvait tout entière dissoute, ce qui ne relevait pas du hasard. Réfléchissons à cela, qui explique le reste. En rejetant la Prusse à l'Est, les Occidentaux avaient abandonné à Staline le soin d'écraser pour longtemps, et peut-être à jamais, le redoutable État qui, assemblage toujours provisoire de populations disparates, s'était si fortement structuré en moins de deux cents ans autour de son Roi et de son armée, qu'avant même d'avoir réduit l'une après l'autre les Allemagnes multiples des siècles précédents il s'était hissé au rang de grande puissance européenne. Staline, qui avait dû plier devant Hitler et qui savait son regard

fixé sur les riches plaines d'Ukraine et de Biélorussie
(« J'ai besoin de l'Ukraine pour que l'on ne puisse
jamais plus nous affamer comme pendant la Première
Guerre », avait confié Hitler au Dr Carl Burckhardt,
haut-commissaire de la Société des nations à Dantzig),
ne pouvait manquer et ne manqua pas l'occasion d'en
finir avec le corps de bataille allemand. Puisque la
Prusse lui était offerte, il la dépeça. Il concéda à la
Pologne les provinces de Silésie et de Poméranie, par-
tagea avec elle la vieille Prusse orientale et lui arracha,
en contrepartie, le tiers de son territoire. Une intense
propagande se répandit selon laquelle détruire le militarisme prussien serait la plus sûre façon d'éradiquer le
nazisme, qu'il s'agissait d'un seul et même phénomène
et qu'on en terminerait de la sorte avec les démons
allemands issus du même enfer et renvoyés au même
néant. Les Occidentaux, apparemment soulagés de voir
la besogne accomplie par un autre, acquiescèrent.
Winston Churchill l'avait dit, à Téhéran, en 1943 :
« J'aimerais souligner que c'est la Prusse qui est à
l'origine du mal. » Il se trompait, en le sachant. Il eût
été plus juste de reconnaître que la destruction de la
Prusse frappait la nation allemande à la tête et qu'en
partageant de la sorte l'Allemagne ses voisins attei-
gnaient un but depuis longtemps recherché. L'appari-
tion au début du XVIIIᵉ siècle du petit État brande-
bourgeois alors peuplé de deux millions d'habitants,
entré par surprise dans le jeu des puissants, en avait
brouillé la donne. Maintenant qu'il en sortait, les
mêmes puissances traditionnelles s'accommodaient du
vide allemand au centre de l'Europe. Bismarck, trois
mois avant Sadowa, l'avait pressenti : « Si la force de

la Prusse est un jour brisée, l'Allemagne échappera difficilement au destin de la Pologne. » De cette évidence Churchill n'avait besoin ni de Bismarck ni de personne pour se convaincre. La prédiction du Chancelier prussien s'accomplit, le 25 février 1947, quand le conseil de contrôle allié, qui tenait lieu de gouvernement allemand, promulgua sa loi n° 46 ainsi rédigée : « L'État de Prusse, qui a été depuis les temps anciens le berceau du militarisme et de la réaction en Allemagne, est aboli. »

Qui avait-on voulu punir ? Hitler, Frédéric II ? Les deux et d'un coup. Je n'imagine pas que les termes « berceau du militarisme et de la réaction » aient été tirés du lexique de Sandhurst ou de Saint-Cyr. On n'y pratique pas ce langage. Là, comme ailleurs, Staline dictait. Le matraquage idéologique et publicitaire qui muait en vérité une contrefaçon fut accepté par tous, ou presque. J'ai vécu cette époque et me souviens de l'air du temps. Nazisme et Prusse confondus dans la réprobation générale, il devenait simple de jeter leurs dépouilles dans la fosse commune. Comment écrit-on l'Histoire ? Hitler n'aimait pas la Prusse et la Prusse n'aimait pas Hitler. Un peu de réflexion aurait montré que l'idéologie nazie démentait les valeurs de civilisation chères à Frédéric II. Hitler avait voulu broyer l'identité prussienne comme devait le faire, après lui, Staline. À eux deux, ils finirent par en avoir raison. Tel fut le grand malheur de ce pays auquel il ne fut pas pardonné de s'être fait craindre sur les champs de bataille. La malédiction dure encore au point qu'il est difficile d'être cru quand on affirme que Berlin fut, au temps de sa grandeur, capitale de la liberté, que quiconque était persécuté pour sa foi ou pour ses idées était assuré d'y trouver refuge, tradition si vivace qu'on y a répugné longtemps à rendre obligatoire la carte d'identité. Qu'on relise cet extrait d'une lettre de Voltaire à sa nièce, Mme Denis : « Enfin, je suis à Potsdam. Sous le vieux roi, c'était un camp militaire sans charme et sans joie. Aujourd'hui c'est le château d'Auguste, siège de l'esprit, de l'envie et de la gloire. » Dès son accession au trône, en effet, Frédéric II avait rompu avec le mode de gouvernement de son père, le terrible roi-sergent : ordre donné à l'armée de respecter le peuple ; ouverture de magasins d'État pour donner du pain à bas prix aux plus pauvres ; interdiction d'infliger de mauvais traitements aux jeunes soldats enrôlés dans les « Kadetten » ; abolition de la torture. Plus encore, il proclama, en un temps où chaque Église prétendait régenter les âmes et les corps, que « chacun dans ses États est libre de faire son salut comme il l'entend », ce qui autorisera l'historien François Bluche à écrire, deux siècles plus tard, que le régime prussien était « sans doute, par le fait du monarque, le plus tolérant d'Europe ». Il fit de la Prusse l'un des premiers États constitutionnels du monde, décrétant l'éducation pour tous et l'égalité des citoyens devant la loi. Que ces belles dispositions ne nous égarent pas cependant : Frédéric II fut bien de sa lignée. Habité par l'esprit de conquête, il n'entendait pas laisser le territoire de son pays bloqué dans sa géographie bancale. Après avoir mis la main sur la Silésie, il passa sa vie à guerroyer, jouant, le plus souvent avec succès, des divisions entre l'Autriche, la Russie, l'Angleterre et la France. Son attachement à la philosophie des Lumières ne l'empêcha pas d'augmenter les effectifs de son armée jusqu'à égaler celle du roi de France. Il s'en servit comme on sait, vainquit ses adversaires, trompa ses partenaires, opéra dans l'adversité de prodigieux rétablissements et acheva son règne reconnu par tous comme le plus grand capitaine du temps. Mais, à égalité de talent, rien ne le distingue des conquérants qui, à travers les siècles, jusqu'à Napoléon Bonaparte, dominèrent tout ou partie de l'Europe, alors qu'il n'a rien de commun, dans l'esprit ni dans la manière, avec Adolf Hitler et le national-socialisme. « Un monde, écrit Wolfgang Venohr, séparait la Prusse et l'idéologie nazie qui comprenait un mélange incroyable de mysticisme nordique et médiéval et de darwinisme primaire, joints à la technique et à la motorisation. » Frédéric aurait méprisé cette mixture si éloignée de sa philosophie et rejeté toute confusion entre « la pensée prussienne de l'État » et « la pensée mi-germanique et mi-universaliste » du IIIe Reich. Mais Hitler, qui connaissait la puissance des symboles, avait organisé la confusion. La cérémonie du 23 mars 1933 à Potsdam, dans l'église de la Garnison, sanctuaire des rois de Prusse, où l'on vit le vieux maréchal Hindenburg, Prussien entre les Prussiens, remettre solennellement ses pouvoirs au Führer de tous les Allemands, venu d'Autriche en conquérant, en fut la première illustration. Le nouveau Chancelier avait besoin d'apparaître comme le vrai successeur de Frédéric II. Plus tard, à l'approche de la défaite, il usa à nouveau du procédé pour galvaniser ses armées. Mais ce n'était qu'un simulacre. Le *Schwarze Korps,* journal de la SS, ne s'embarrassait pas de précautions pour désigner la Prusse comme « le pire ennemi intérieur de l'Allemagne ». Et il est vrai que la Prusse avait autre chose à dire et à prouver que le fanatisme hitlérien, une forme de civilisation à défendre, fût-ce par les armes. Quelques-uns des siens le firent pour elle, fils de la vieille noblesse, soldats élevés dans le culte de l'État et de l'armée et qui choisirent leur camp au prix de leur propre vie. Écrivant ces mots, je pense à Henning von Tresckow, figure de proue, trop ignorée en Occident. Vingt-quatre heures après l'échec de l'attentat du 20 juillet 1944, auquel, chef d'état-major de la IIe armée, il avait participé, alors que lui, le plus jeune général de l'armée allemande, était promis aux plus hautes destinées, il engagea seul son command car dans la forêt de Krolovy, au sud de Poznań, fit halte, en descendit et marcha jusqu'aux avant-postes des troupes soviétiques. On retrouva son corps la tête éclatée. Le matin même, il avait pris sobrement congé de son ami et adjoint Schlabrendorf en lui disant : « Aucun de nous n'a à se plaindre de son sort. Celui qui a rejoint la résistance a endossé du même coup la tunique ensanglantée de Nessus. La valeur d'un homme ne se mesure qu'à sa capacité de sacrifier sa vie pour ses idéaux. » Et, reprenant le langage qu'il avait tenu quelques mois plus tôt à Potsdam, pour la confirmation religieuse de ses fils : « N'oubliez jamais que vous avez grandi sur le sol prussien et que vous êtes aujourd'hui admis à la Sainte-Cène, à l'endroit le plus sacré de la vieille Prusse. Cela comporte une grande obligation : celle de servir la vérité, d'accomplir le devoir jusqu'au bout. Jamais on ne saurait séparer le concept de liberté du vrai prussianisme... »

Telle était l'âme de la Prusse avant que Staline ne

l'étouffe. Cette considération ne fut pas étrangère à mon adhésion à l'unité allemande. Il me semblait que la patrie d'Henning von Tresckow avait le droit, sous les décombres, de retrouver ce qu'elle avait perdu et de restituer à l'Allemagne la part qui lui manquait.

Moins de dix ans plus tard, la défaite allemande consommée, Hitler et le nazisme disparus, l'Allemagne brisée, les ouvriers de Berlin-Est et d'autres grandes villes de l'Allemagne de l'Est, Magdebourg, Halle, Erfurt, Leipzig, se soulevaient les 16 et 17 juin 1953 contre leurs nouveaux maîtres. Le mot d'ordre de grève générale lancé, les usines s'arrêtaient. Les douze mille travailleurs des aciéries d'Hennigsdorf croisèrent les bras, bloquant toute production. Pendant deux jours la rue fut à la foule qui réclamait la démission d'Ulbricht, de Grotewohl, de Pieck et des élections libres. On arracha le drapeau soviétique de la porte de Brandebourg. À midi, le 17, les chars russes de la division Doberitz prirent position au centre de Berlin. L'état de siège fut proclamé. On se battit jusqu'à la nuit. Le lendemain, la presse est-allemande fit l'impasse sur l'événement. Un communiqué officiel chiffra les victimes à vingt-cinq morts et trois cent quatre-vingts blessés. À l'Ouest on parla de quatre cents morts et de milliers de blessés. Dans le rapport qu'il remit au Comité central du Sozialistische Einheitspartei Deutschlands (SED), le parti au pouvoir, Grotewohl estima à trois cent mille le nombre d'ouvriers qui avaient participé au mouvement de grève. Les émeutiers ne s'étaient pas révoltés en rêvant à l'unité des Allemagnes. Ils protestaient simplement contre leurs conditions de travail, l'augmentation des normes de

production, la diminution de leur niveau de vie. Mais
la répression, les exécutions qui suivirent, l'écrasement
de l'émeute par les chars soviétiques et gouvernementaux transformèrent en quelques heures un conflit sala-
rial en une crise de régime qui ne put désormais assurer
sa survie qu'en renforçant sa police et sa bureaucratie,
en créant des groupes de combat, sortes de milices sou-
mises directement au Comité central et en dressant,
stricto sensu, aux frontières de l'Ouest, un mur qui reje-
tait de chaque côté dans deux mondes ennemis les
Allemands déchirés. Il ne restait aux habitants de l'Est,
désireux d'échapper à l'étouffement, qu'à émigrer,
quand ils le pouvaient, au péril de leur vie, ou à s'en-
fermer dans le silence de la soumission du mépris.
Resta aussi l'impertinence, celle de Brecht, dans son
poème *La Solution* :

« Après le soulèvement du 17 juin
Le secrétaire de l'Union des écrivains a fait
distribuer dans l'allée Staline des tracts
où l'on pouvait y lire que le peuple
s'était, non sans légèreté, aliéné la confiance du
   gouvernement
Et que c'était seulement en redoublant d'efforts
qu'il pourrait la reconquérir. Ne serait-ce pas
plus simple que le gouvernement décide
de dissoudre le peuple
et d'en élire un autre ? »

Ou l'insolence, celle de Wolf Biermann, dans son
Discours inaugural du chanteur (« La harpe aux bar-
belés ») : « Ceux qui jadis ont tenu tête aux mitrail-

leuses ont peur de ma guitare. La panique les saisit quand j'ouvre mon gosier. Une sueur froide couvre la trompe des éléphants bureaucratiques quand j'infeste la salle de mes chansons. Vraiment je dois être une peste, un monstre vraiment, un dinosaure qui danse sur la place Marx-Engels, un obus éclatant dans le canon, une boule dans la gorge des responsables qui craignent rien tant que la responsabilité... » Et « crénom ! Défaites les sangles de la peur qui oppressent vos poitrines ! crénom ! Et si vous craignez que votre cœur ne s'en échappe alors, desserrez vos liens d'au moins deux ou trois crans, habituez-vous à respirer, à crier librement... Affrontons le jour la tête haute ! » Enfin, « nos pères sont les enfants de la révolte et de la liberté, soyons vraiment les fils de nos pères ».

En République démocratique allemande, le 17 juin devint, dans l'historiographie officielle, le jour de la Contre-Révolution, et la preuve irréfutable de l'existence d'un « mouvement clandestin fasciste organisé et soutenu par les Américains ». En République fédérale cette journée d'insurrection fut, au contraire, célébrée comme « la journée de l'unité allemande » et proclamée « jour de fête légale ». Excès de part et d'autre que Lothar Baier, dans son livre *Un Allemand né de la dernière guerre,* interpréta tout autrement : « Cette fête de la République fédérale représente un mensonge grossier qui traduit bien le climat des années cinquante. Élevant les travailleurs de la Stalin Allee et d'autres chantiers à la dignité des martyrs de l'unité allemande, les dirigeants ouest-allemands opérèrent un renversement complet de l'imagerie du pays partagé. Depuis toujours enclin à des conceptions plutôt séparatistes qu'uni-

taires, le Chancelier Adenauer se fit, par cette opération
à bas prix, le champion de l'unité laissant du même
coup retomber tout le poids de la scission sur la République démocratique. » Quoi qu'il en fût, les émeutes
de juin 1953 scellèrent en quelque sorte la division de
l'Allemagne, vérifiant le jugement d'Isabelle Farçat
(*L'Allemagne, de la conférence de Potsdam à l'unification*)
selon laquelle « pour chaque partie de l'Allemagne la
voie de l'unification passait par sa propre puissance qui
ne pouvait manquer, à terme, d'attirer à soi l'autre
Allemagne [...]. Mais le pouvoir de chacun de ses États
allait être à la mesure de la distance le séparant de
l'autre. Plus forte serait la puissance de chaque
Allemagne, plus profond le déchirement allemand ».
Ce que le poète et essayiste Hans Magnus Enzensberger,
membre du groupe 47 qui a fondé la revue d'avant-garde
Kursboch, confirmait à sa façon : « Encore plus fanto-
matique est le fait que ces deux ennemis se renforcent en
se battant. Chacun se mesure aux mesures de l'autre. »

Lorsque j'eus à me prononcer pour la première fois en public sur l'éventualité de la réunification allemande, le hasard voulut que ce fût aux côtés de Mikhaïl Gorbatchev, en visite d'État à Paris. C'était le 5 juillet 1989, on savait les Soviétiques hostiles à cette perspective, on parlait même de leur veto et les journalistes étaient dans leur rôle quand, à la conférence de presse qui eut lieu l'après-midi, ils nous interrogèrent sur ce point en jouant sur nos approches, à l'évidence différentes, du problème allemand. D'une pierre deux coups, ils espéraient en même temps obtenir confirmation des divergences que l'on nous prêtait, à Helmut Kohl et à moi, sur le même sujet, ce qui les intéressait plus encore.

Sujet longtemps tabou, la réunification occupait l'actualité politique depuis qu'avait commencé l'exode massif, deux mois plus tôt, des Allemands de l'Est vers la Hongrie. La plupart des responsables occidentaux gardaient devant ce phénomène une extrême prudence de langage, surtout les Allemands soucieux d'éviter tout impair qui eût réveillé des souvenirs inopportuns. Aussi bien M. Richard von Weiszäcker, président de la République fédérale, que le Chancelier Kohl ou le Vice-Chancelier Genscher, quand nos conversations s'engageaient sur ce terrain sensible, remarquaient invariablement que, si la partition de leur pays était comme une blessure ouverte au cœur de chaque Allemand, il existait des problèmes plus urgents à résoudre. Ce parti pris dura au-delà de la chute du Mur de Berlin que j'évoquerai plus loin, puisque neuf jours après, dans sa longue intervention, à l'ouverture du Conseil européen extraordinaire de Paris, Helmut Kohl tut de bout en bout le mot réunification dont il redoutait qu'il suscitât de nouvelles tensions entre les Douze. Le « pensons-y toujours, n'en parlons jamais » de Léon Gambetta à propos de l'Alsace-Lorraine transcende les lieux et les époques. Mais les journalistes, moins contraints que les politiques par les contingences internationales, ne s'embarrassaient pas de ces précautions et nous posèrent la question, sans ambages.

Trop brève, la réponse que je fis au correspondant du *Berliner Tageszeitung* : « L'aspiration à l'unification est une aspiration légitime », appelait un développement. J'y revins donc quelques jours plus tard, le 27 juillet, en accordant un entretien à cinq grands journaux européens, dont l'hebdomadaire français *Le Nouvel Observateur,* qui m'interrogeaient sur les principaux problèmes de l'heure. Quand nous arrivâmes à la question allemande, je répétai, presque mot pour mot, mes propos précédents, et ajoutai que l'unité ne pouvait se réaliser « que pacifiquement et démocratiquement ». Ces deux lourds adverbes contenaient les principes dont je ne me suis pas départi, qui devaient présider, selon moi, à l'unité allemande et qui finalement prévalurent. D'une part, si la démarche vers l'unité était légitime, cela ne signifiait pas qu'elle pût aboutir n'importe comment. D'autre part, la sauvegarde de la paix commandait que fussent réglées, au préalable, au moins cinq difficultés majeures que j'énumère ici : la reconnaissance par l'Allemagne et, dans l'immédiat, par la République fédérale, de la frontière Oder-Neisse ; l'accord des quatre puissances tutélaires, États-Unis, Grande-Bretagne, Union soviétique et France sur la dévolution de leurs droits à l'Allemagne unifiée ; la renonciation par l'Allemagne aux armes nucléaires, biologiques et chimiques ; le maintien de son appartenance à l'Alliance atlantique ; la confirmation de son engagement dans la Communauté européenne. On sait que ces cinq conditions furent remplies et que l'accord final fut signé le 3 octobre 1990.

On verra qu'au cours des mois qui précéderont cet accord chacune des quatre puissances s'arc-boutera, comme il est normal, sur ce qu'elle estimait être « sa » condition prioritaire, c'est-à-dire la plus conforme à ses intérêts. Les États-Unis se montreront surtout préoccupés par l'intégration de la future Allemagne unie dans l'Organisation du traité de l'Atlantique Nord, les Soviétiques hésiteront encore à admettre l'inéluctabilité de l'unité allemande ; quant aux Britanniques, par la voix de Margaret Thatcher, ils rechercheront surtout à en retarder l'échéance.

J'attachais, de mon côté, la prédominance à la reconnaissance préalable des frontières. J'exposerai plus loin comment cette exigence fut l'objet d'un débat long, difficile, mais toujours amical, avec Helmut Kohl. De ce débat l'opposition conservatrice française tira argument pour accuser notre diplomatie d'avoir « manqué le train de l'unité allemande » en ne sautant pas, les yeux fermés, dans le premier wagon. Outre, comme je l'ai déjà souligné, qu'aucun autre dirigeant occidental ne s'y était risqué et que j'avais été le premier, avec George Bush, à saluer la perspective de l'unification, j'avais de quoi m'étonner devant cette perversion qui poussait, une fois de plus, tant de responsables de mon pays à oublier les enseignements de l'histoire. Certes, la question de la frontière interallemande se posait en termes particuliers. L'intangibilité des frontières consacrée par la conférence d'Helsinki assurait à la République démocratique un statut semblable à celui des autres pays souverains d'Europe. Les deux blocs s'en étaient portés garants et, leur pré carré délimité, s'étaient efforcés d'empêcher tout mouvement susceptible d'ébranler l'équilibre de l'après-guerre, fragile comme l'est tout équilibre. Mais ils avaient aussi proclamé, toujours à Helsinki, le droit à l'autodétermination, variante du droit des peuples à disposer d'eux-mêmes. Comment sortir de cette contradiction ? On avait laissé l'événement, maître du temps, en décider. Or l'événement était là. Pour ne pas être pris de court, le plus simple et le plus sage étaient de se référer aux principes de droit, d'équité et de prudence qu'imposait la situation.

Un an s'écoula entre le début de la fuite vers l'ouest d'une partie de la population de la République démocratique allemande et la signature du traité d'union monétaire interallemand – 18 mai 1990 – qui consacra, en fait, l'unification. La brièveté de ce délai aurait surpris les Allemands s'ils l'avaient imaginé. Le retour en République fédérale de milliers d'Allemands de souche venus de différents pays de l'Est avait d'abord suscité l'enthousiasme. Puis on s'était aperçu que ces rapatriés *(Aussiedler)* se disant allemands ne l'étaient pas toujours. Les avantages qui leur avaient été consentis avaient alors paru exorbitants : octroi d'un emploi et d'un petit appartement, reconstitution des droits à la retraite au vu de l'ensemble de leur vie professionnelle. On commença de s'interroger sur l'origine ethnique des intéressés. Le Pr von Thadden, qui a longtemps enseigné à Göttingen à proximité du camp de regroupement de Friedland, confiait à notre ambassadeur qu'un certain nombre des rapatriés venus de Pologne étaient munis de papiers établis à partir d'informations douteuses. Le Chancelier Kohl subissait de dures attaques. S'était-il trompé de route ? On annonçait une crise politique. Mais l'état d'esprit se retourna en juillet avec l'arrivée des « vrais Allemands » de République démocratique, les *Übersiedler,* tandis que le flot des *Aussiedler* stagnait. Le 11 septembre, au Congrès de la démocratie chrétienne, à Brême, Helmut Kohl, face à ses contestataires qui ne savaient plus où ils en étaient de la politique des « petits pas », fonça et, sans en préciser la forme et les moyens, parla de l'unité. Ce même jour, le gouvernement de Budapest décidait d'ouvrir, à minuit, sa frontière avec l'Autriche aux réfugiés allemands qui se trouvaient sur son territoire. Le 30 de ce mois, les six mille réfugiés est-allemands de l'ambassade de la République fédérale à Prague étaient autorisés à se rendre en Allemagne de l'Ouest. En revanche, à

Berlin-Est, M. Honecker s'obstinait. La République démocratique fêtant, le 6 octobre, l'anniversaire de sa fondation, Mikhaïl Gorbatchev assista, le 7, à la parade militaire d'usage. C'est là que, s'adressant à la presse, il se déclara favorable aux réformes en Allemagne de l'Est et prononça le célèbre « celui qui arrive trop tard est puni par les forces de la vie ». Chacun comprit que Honecker était désavoué, que les soldats soviétiques, encore au nombre de quatre cent mille dans ce pays membre du pacte de Varsovie, et pièce maîtresse de l'empire soviétique, ne tireraient pas sur les manifestants. Le surlendemain, soixante-dix à cent mille Allemands se répandaient dans les rues de Leipzig et davantage les jours suivants. Les autres grandes villes s'embrasèrent, à la lueur des bougies que des foules silencieuses posaient à terre sur les places, dans les églises, à tous les carrefours, comme pour tracer le cercle enchanté à l'intérieur duquel l'espérance reprenait vie. Le 18, Erich Honecker relevé de ses fonctions, Egon Krenz assura le témoin. Le discours officiel s'infléchit. On composa, tout en cherchant à préserver un ordre de pensée et un système de gouvernement venus d'une révolution qui se mourait, trop lourdement chargée d'échecs, de tyrannie, de frustrations, d'aveuglement. Le 9 novembre toujours à Berlin et dans la confusion, le bureau politique du parti communiste est-allemand, par la voix de son porte-parole, M. Chabovski, déclara ouverte la frontière interallemande. Des centaines de milliers d'Allemands de l'Est passèrent aussitôt à l'Ouest. Comme à Varsovie, à Prague, à Budapest, le peuple avait fait l'Histoire et cette Histoire était celle d'une autre révolution, jeune celle-là, vivante réplique, deux siècles plus tard, de la Révolution française. Le peuple avait brisé le pouvoir de ses maîtres et de leur appareil, il avait vaincu ses peurs, échappé aux chiens de garde de toutes sortes, police, armée, bureaucratie, presse, littérature officielle, école, université, miradors postés aux quatre coins d'un horizon fermé. Aucune organisation, aucun parti, aucun véritable leader ne l'avait mobilisé. Il avait puisé ses forces en lui-même, perçu l'affaiblissement du pouvoir et la corruption du système, discerné un trait de lumière au travers des portes et des fenêtres closes, senti l'approche irrépressible de la liberté. C'est encore Serge Boidevaix qui raconte : « Le 11 novembre, je suis avec mes collègues américain et anglais dans le bureau de M. Momper, bourgmestre régnant de Berlin, lorsque M. Chabovski, devenu deuxième personnage du régime de l'Est, téléphone. C'est l'affolement. Comment empêcher que les manifestants escaladent la porte de Brandebourg ? M. Chabovski a une idée : " Il faut une diversion. " Il propose que M. Momper et lui se rendent le lendemain dès 8 h 30 avec des bulldozers pour ouvrir une brèche dans le mur sur la Potsdamer Platz. Ainsi, dit-il, les journalistes de télévision opportunément prévenus viendront avec leurs caméras, " surtout les Américains équipés de projecteurs qui éclairent le Mur et la porte la nuit, et tout le monde suivra ". » Ainsi fut fait.

À ce point de notre récit, arrêtons-nous un moment pour observer les réactions des vainqueurs de la dernière guerre mondiale, garants du statut de l'Allemagne. À la différence de Moscou, les trois Occidentaux avaient de longue date reconnu aux Allemands des deux États le droit de se rejoindre. Mais ils n'avaient pas prévu l'écroulement subit de l'Union soviétique et préféraient gérer à froid ce formidable événement. D'où des hésitations dans leur démarche, dont nous allons suivre les variations.

En Grande-Bretagne, le 10 novembre 1989, le service de presse du Premier Ministre publie un communiqué par lequel Mme Thatcher se réjouit de la levée des restrictions imposées aux déplacements de la population est-allemande vers l'Ouest ; espère qu'il s'agit d'un prélude au démantèlement du Mur de Berlin ; attend l'instauration d'un gouvernement démocratique en République démocratique allemande ; estime qu'il convient de traiter les événements l'un après l'autre *(step by step)*. Mais sur l'unification, pas un mot. Trois

jours plus tard à l'occasion du dîner du Lord-Maire de
la cité de Londres, au Guidhall, elle parle d'élections
libres et de pluralisme des partis en Allemagne de l'Est,
de coopération avec les démocraties naissantes
d'Europe centrale, du rôle nouveau que doit jouer
l'OTAN. Mais rien non plus sur l'unification. Inter-
rogée par le *Times* le 24 novembre, elle déclare qu'il
faut se concentrer sur ce qui importe le plus et que la
priorité est de « s'efforcer de faire venir la démocratie
partout à l'Est ». Lorsque la démocratie sera établie,
précise-t-elle, il en sortira, « peut-être dans dix ans,
peut-être dans vingt ans, une carte (de l'Europe) très
différente ». Toujours rien sur l'unification. À son
retour de Paris où le 18 novembre s'est tenu le Conseil
européen extraordinaire que j'avais convoqué, la BBC
sollicite son commentaire. Avec une belle ténacité elle
répète que la seule chose qui compte est l'avènement
de la démocratie, que le changement à l'Est doit entraîner le renforcement de l'Alliance atlantique et donner
des chances nouvelles à la négociation Est-Ouest sur le
désarmement. Elle en profite pour récuser le projet
d'une monnaie commune à l'Europe des Douze. Mais
sur l'unification, bouche cousue. On attendra le
24 janvier 1990 pour qu'apparaisse, dans une interview
accordée au *Wall Street Journal*, la perspective lointaine
de l'unité allemande « qui doit s'effectuer dans des
conditions qui tiennent compte d'autres nécessités et
qui nous donnent le temps de les résoudre, faute de
quoi elle pourrait tout déstabiliser ». Le mot est dit,
mais du bout des lèvres. Enfin, le 18 février,
Mme Thatcher reconnaît, devant les représentants de la
communauté juive de Grande-Bretagne, le caractère

inéluctable et rapproché de l'unification. « Il ne fait pas de doute, dit-elle, que les deux parties de l'Allemagne vont se retrouver ensemble. » Ainsi, dix mois durant, de mai 1989 à février 1990, persévère-t-elle dans sa volonté de ne pas aborder un terrain qu'elle juge inopportun et dangereux. Son silence sur l'unité allemande – alors que tout le monde en parle –, loin de dissimuler son désir d'en retarder l'heure, le souligne. Que s'est-il passé entre le 24 janvier et le 18 février qui puisse expliquer ce brusque revirement ? Il n'est qu'une explication. L'Histoire a avancé au pas de charge. M. Modrow, en visite à Moscou, a parlé de « l'Allemagne, patrie unie » ; M. Gorbatchev lui a répondu qu'il cessait d'exclure l'éventualité de l'unification ; à Bonn, on envisage l'union monétaire entre les deux États allemands ; Helmut Kohl et Mikhaïl Gorbatchev ont estimé qu'il appartenait au seul peuple allemand de décider s'il voulait ou non vivre « au sein d'un État unique » ; Helmut Kohl et Hans Modrow ont constaté, de concert, que « l'unité était maintenant possible » ; Allemands et Français ont réitéré leur accord sur le processus en cours ; le chef du gouvernement italien, Giulio Andreotti, et le Chancelier Kohl ont adopté une position semblable. Enfin, rendez-vous a été pris à Camp David, pour le 24 février, entre George Bush et le Chancelier afin de mettre la dernière main au déroulement des négociations entre les quatre puissances de tutelle et les deux États allemands (4 + 2). La Grande-Bretagne ne peut rester plus longtemps absente. Mme Thatcher le comprend. Désormais, elle presse le pas pour rattraper le cours des choses, s'associer aux dispositions qui conduiront à l'unité allemande, et, si possible, agir comme si elle les avait précédées. Elle renverse alors sa position avec sa vigueur coutumière, au point de confier au *Sunday Times* du 25 février : « La Grande-Bretagne a été la seule à avoir raison *(isolated and right)* en exigeant que l'unification s'effectue en tenant compte de toutes ses implications internationales [...]. Nous avons été les premiers à le dire, maintenant tout le monde suit. » Chère Mme Thatcher ! On retrouve là son inimitable facture, mélange de fermeté d'esprit et de souplesse tactique. En vérité, elle n'avait été ni la première ni la seule à invoquer les « implications internationales ». Mais, si elle avait tu sa pensée dans ses discours publics, elle ne l'avait pas cachée lors de ses entretiens privés avec les interlocuteurs auprès desquels elle savait pouvoir s'épancher. Je puis attester qu'au Conseil européen de Strasbourg, par exemple, les 8 et 9 décembre 1989, elle s'était obstinément abritée derrière les fameuses « implications » (reconnaissance des frontières par l'Allemagne fédérale, droits des quatre puissances tutélaires, élargissement de l'OTAN à la République démocratique) pour éviter toute décision qui, en alourdissant le poids de l'Allemagne, eût entraîné, disait-elle, un grave déséquilibre européen. Je me souviens de sa stupeur (et de sa colère) quand Helmut Kohl, d'entrée de jeu, annonça la couleur en déposant un texte en faveur de l'unité allemande qui reprenait à l'identique un paragraphe oublié de tous, sauf de lui, logé discrètement au creux d'un long document adopté par l'OTAN, en 1967, soit vingt-deux ans plus tôt, à une époque où l'on s'accordait sur tout dès lors que les décisions semblaient inapplicables. Je reviendrai plus loin sur cette discussion. Quoi qu'il en fût, tout le long de ces débats, j'avais constamment rappelé mon point de vue à Mme Thatcher, dans les termes, ou à peu près, qui furent les miens, lors de notre déjeuner du 20 janvier 1990 à Londres : « Je ne dis pas non à la réunification. Ce serait stupide et irréaliste. Je ne vois pas quelle force en Europe pourrait l'empêcher. Je ne suis pas sûr que l'Union soviétique soit en mesure de le faire aujourd'hui. Mieux vaut l'accepter les yeux grands ouverts et lier l'unité de l'Allemagne à la construction de l'Europe et à la garantie des frontières. » Elle avait alors, avec passion, dressé le tableau d'une Europe dominée par la puissance allemande et m'avait prié d'examiner les conditions d'un rapprochement franco-britannique capable de la contrebalancer. Je lui avais répondu, comme chaque fois que nos conversations abordaient ce sujet, qu'à mon vif regret l'alliance entre nos deux pays, toujours célébrée dans les discours officiels, n'avait guère de contenu, que nous ne parvenions jamais, du fait de son pays, à conclure un accord particulier sur quelque objet que ce fût, y compris pour harmoniser les systèmes d'armement les plus simples, que la Grande-Bretagne n'avait pas de marge d'action suffisante pour échapper au contrôle des États-Unis, et que je n'échangerais pas la construction européenne, dont l'Allemagne fédérale constituait l'un des piliers, contre une entente franco-anglaise souhaitable mais réduite aux bons sentiments. Je me suis ouvert plusieurs fois de cette situation aux ambassadeurs du Royaume-Uni en poste à Paris. Tous affichaient un air navré et expédiaient à Downing Street des télégrammes alarmants. Mais rien ne changeait. L'excellent accueil qui, en toute occasion, nous était réservé à Londres, le bon climat des sommets franco-britanniques, dont j'avais pris l'initiative, les assurances réitérées d'un réveil de l'alliance, la qualité de mes relations personnelles avec Margaret Thatcher, ne débouchèrent sur aucune initiative ou décision qui eût donné l'élan à de véritables actions concertées. Aux réunions des Douze ou dans nos entretiens à deux, Mme Thatcher continua de s'inquiéter, de tempêter, en vase clos. Petites tempêtes assorties de colères chaque fois définitives. Cela se termina comme on sait, et le Premier Ministre britannique signa sans autre forme de procès les accords qui consacrèrent l'unité allemande.

Aux États-Unis, la réaction du Président Bush à l'annonce des premiers départs massifs des Allemands de l'Est vers l'Ouest avait été rapide et prudente. Rapide, puisqu'il avait déclaré, dès le 16 mai 1989, que « si l'on pouvait obtenir la réunification sur une base adéquate » (le principe d'autodétermination), ce serait « parfait ». Prudente en ajoutant : « je ne suggère pas que cela arrive rapidement ». En fait, il reprenait, jusqu'au vocabulaire, la position traditionnelle du département d'État. Quinze jours plus tard, le 31 mai, dans un grand discours sur l'Europe et les relations Est-Ouest prononcé à Mayence, il s'engagea davantage et, sans mentionner l'unité allemande proprement dite, brossa un vaste tableau de sa vision européenne axée sur l'unité du continent, « Commonwealth of free nations », et sur le rôle nouveau de l'OTAN, destinée à promouvoir « l'autodétermination de l'Allemagne et de toute l'Europe de l'Est », thème qu'il développa au cours des mois suivants. Certes, la suite a prouvé que le concept d'unité européenne ne recouvre pas la même réalité selon que l'on est américain ou français. Mais les propos de George Bush prouvaient qu'il avait compris l'ampleur des bouleversements qui se produisaient en Europe. Quant à « l'autodétermination de l'Allemagne », formule également codée de la diplomatie américaine, elle prenait une tonalité plus neuve à cause du moment et du lieu (Mayence) où elle était prononcée. Précédant la plupart des dirigeants européens et contredisant carrément Mme Thatcher – attitude inconcevable au temps de Ronald Reagan –, il s'écriera, le 18 septembre : « Certains ont le sentiment qu'une Allemagne réunifiée serait dangereuse pour la paix en Europe occidentale : je n'y souscris pas du tout. » Bref, George Bush pariait sur l'Allemagne et ne partageait pas les préoccupations de la Grande-Bretagne sur la tentation neutraliste allemande, ce qu'il souligna, le 25 octobre, dans une interview au *New York Times*, tout en précisant par un balancement diplomatique classique : « Il ne faut pas pour autant pousser l'idée de réunification, ni établir de calendrier. Cela prendra du temps... »

Il accentuera cette précaution le 10 novembre, lendemain de la chute du Mur en déclarant, de la Maison Blanche, « qu'évoquer la réunification serait prématuré ». On voit que le Président américain et le Premier Ministre britannique, l'un méfiant, l'autre confiant, analysaient différemment cette phase décisive de l'Histoire de l'Europe du XXe siècle, mais qu'ils se rejoignaient pour estimer qu'il n'y avait pas urgence et qu'il convenait de modérer l'allure. « Prématuré » est le terme qu'on rencontre le plus souvent pendant cette période et sur ce sujet dans le langage des partenaires anglo-saxons de l'Allemagne.

Du côté de Moscou, l'évolution des positions initiales de Mikhaïl Gorbatchev est significative du rapport de forces de l'époque. Lorsqu'il s'adresse aux komsomols, le 15 novembre, le Président soviétique s'en tient à la thèse selon laquelle l'existence des deux États allemands découle d'une situation historique (la Seconde Guerre mondiale et la victoire soviétique) validée par la communauté internationale et acquise une fois pour toutes : « La question de la réunification de ces États, précise-t-il, ne se pose pas [...]. En disserter avec cette arrière-pensée équivaudrait à s'ingérer dans les affaires de la République démocratique et de la république fédérale d'Allemagne [...]. Ce qui se passe en République démocratique s'inscrit dans le processus de renouveau qui s'est développé dans les États socialistes. » Il présente les bouleversements internes de l'Allemagne de l'Est comme l'effet naturel du mouvement des réformes qui a suivi et accompagné la perestroïka. Il refuse, en somme, de considérer le problème posé par l'aspiration des Allemands à l'unité et privilégie l'explication selon laquelle il s'agit seulement d'une aspiration à la réforme et à la liberté au sein de la société communiste. Reflétant cette attitude, le 29 novembre, son ministre des Affaires étrangères, M. Chevarnadzé, se montre catégorique. Réagissant au programme en dix points que présente le Chancelier Kohl au Bundestag, le 18 novembre, il accuse ce dernier de pousser à la réunification au mépris des intérêts et de l'opinion des autres pays de la région, à commencer par la République démocratique allemande. Aucune véritable tension avec Bonn n'accompagna cette réaction formellement négative. M. Chevarnadzé repartit à l'attaque, le 6 décembre, à Kiev. Il répéta que l'unification n'était pas d'actualité et mit en garde ceux qui compliqueraient le processus de rapprochement Est-Ouest en voulant précipiter les choses à Berlin. Mais les autorités allemandes ne pouvaient pas ne pas remarquer que le ton de bonne compagnie employé par Mikhaïl Gorbatchev et son ministre des Affaires étrangères adoucissait la rudesse des propos, ambiguïté qui apparut au grand jour dans l'allocution que prononça M. Chevarnadzé le 18 décembre, devant la commission politique du Parlement européen. Après avoir averti que l'Union soviétique ne « laisserait pas offenser la République démocratique allemande, notre alliée stratégique, membre du pacte de Varsovie », il énuméra, paisiblement, les conditions nécessaires et suffisantes de l'unité allemande : garantie de sécurité, frontières, alliances, droits des puissances de tutelle, démilitarisation, etc., toutes conditions réalisables, dès lors que Moscou n'y ferait plus obstacle. Le chaud et le froid soufflaient à tour de rôle. Le froid, avec la demande faite le 11 décembre de réunir les ambassadeurs des puissances de tutelle afin de réaffirmer les droits quadripartites sur l'Allemagne. Le chaud, lorsque, à l'ouverture de la négociation 4 + 2 du 13 février à Ottawa, l'Union soviétique se rangea à l'idée d'une réunification qui se déroulerait sous contrôle extérieur pour ses aspects externes. Changement de taille si l'on pèse le poids des mots prononcés depuis la mi-novembre, et qui s'allégeait à mesure que le temps passait. De 1985 à 1990, j'ai souvent discuté de la situation allemande avec le chef de l'État soviétique. J'appréciais sa clarté d'esprit et sa vision de l'avenir. Je partageais son souci d'obtenir pour l'Europe un statut nouveau, et il avait trouvé avec son projet d'une « maison commune » les termes qui exprimaient au plus juste ma propre conception d'une Europe unie. Mais il me paraissait évident qu'à la tête d'un pays fort il n'aurait jamais consenti à l'unité de l'Allemagne. Ses variations sur ce thème majeur dont dépendait la suite des choses reflétaient très précisément l'évolution accélérée du rapport de forces entre son pays et l'Allemagne, à l'avantage constant de cette dernière. L'empire russe se décomposait à l'heure où la puissance économique de la République fédérale exerçait sur l'ensemble du continent, et plus encore sur la population de l'Allemagne de l'Est, une attraction irrésistible. Gorbatchev ne disposait même plus du recours à l'intimidation, sa force armée sans rivale en Europe se révélait vouée à l'inutilité, faute de pouvoir exercer une menace capable d'être crainte. L'accumulation de ses armes et son formidable arsenal nucléaire ne valaient pas le prix d'un fusil de musée puisque la Russie ne pouvait s'en servir et que tous le savaient.

Le point final de la dialectique soviétique a été mis dans l'interview de Mikhaïl Gorbatchev à la *Pravda*, le 20 février 1990 : « La réunification de l'Allemagne, dit-il, ne concerne pas seulement les Allemands. La situation est telle qu'il est inconcevable que les Allemands s'entendent entre eux et invitent tous les autres, par la suite, à approuver les décisions déjà prises. Il y a des choses fondamentales où aucune équivoque n'est possible... » Cela, il l'avait déjà dit. La novation suivait : « Il s'agit (dans le cadre des 4 + 2) de discuter en détail et par étapes tous les aspects extérieurs de la réunification allemande, de préparer cette question pour l'inclure dans le processus européen et pour examiner les bases du futur traité de paix avec l'Allemagne. » L'interdit était levé.

J'ai déjà exposé ce que fut la politique de la France de mai à octobre 1989. L'unification, à mes yeux, allait de soi, mais sa réalisation exigeait, dans l'immédiat et pour le moins, la reconnaissance des frontières et une négociation sur la dévolution à l'Allemagne des droits des quatre puissances tutélaires. Comme George Bush, j'avais accepté ouvertement et publiquement la perspective de l'unité, que Margaret Thatcher et Mikhaïl Gorbatchev éludaient. Comme Margaret Thatcher et Mikhaïl Gorbatchev, après qu'ils eurent admis l'inéluctable, j'avais demandé que l'unification fût examinée sous tous ses aspects internationaux. George Bush et Margaret Thatcher avaient mis l'accent sur le rôle futur de l'OTAN et la place qu'y tiendrait l'Allemagne unifiée, tandis que Mikhaïl Gorbatchev et moi avions insisté sur le respect des accords d'Helsinki. Mais j'avais jugé, pour ma part, que ces accords n'avaient pas à jouer pour la ligne de démarcation qui séparait les deux Allemagnes dès lors que la République démocratique ne s'en réclamait plus. Le 25 octobre 1989 (le Mur devait tomber quinze jours plus tard), prenant la parole devant le Parlement européen de Strasbourg, je proclamai ma conviction que l'Europe de l'Est n'en était qu'au début d'une révolution qui balaierait le communisme, jusqu'à ses ultimes places fortes, que rien ne lui résisterait, ni la vulgate idéologique, ni le système politique, ni l'impitoyable organisation répressive. « Tout s'en va parce que vient autre chose, que nous avons la chance, nous, de posséder : la liberté », et je conclus : « Au nom de quoi accusera-t-on le peuple allemand de désirer se retrouver ? Comment penser que le problème de l'identité nationale ne se posera qu'à Varsovie et à Budapest ? D'un pays à l'autre, d'une capitale à l'autre, le mouvement suivra la même direction, connaîtra les mêmes contradictions, subira les mêmes coups de frein. Rien n'est écrit d'avance à quelques mois ou à quelques années près. Tout est écrit cependant sur la distance. Veillons à ce que cette page d'écriture soit rapidement terminée... » Depuis la fin de la guerre, et je m'en étais souvent ouvert aux Français, j'avais gardé l'espoir d'assister à la fin de l'Europe de Yalta. Ce moment était arrivé. Mais une évidence m'occupait l'esprit : puisque l'Europe coupée en deux s'identifiait à la partition allemande et faisait de l'Allemagne le champ clos de la guerre froide, l'unité retrouvée de notre continent passerait nécessairement par l'unité allemande. J'en tirai la conclusion logique à l'issue du sommet franco-allemand de Bonn, le 3 novembre – six jours avant la chute du Mur.

Quand nous entrâmes, entre deux haies de journalistes et de fonctionnaires silencieux, presque angoissés, dans la salle de la chancellerie réservée aux conférences

de presse où se bousculaient photographes et camera-
men, Helmut Kohl, qui me parlait encore de son projet
de visite en Pologne, ne s'attendait visiblement pas à
la brutalité des questions qui allaient m'être posées sur
l'unité allemande. Comme j'achevais un court préambule (« plus les événements en Europe de l'Est vont
vite, plus nous devons accélérer et renforcer la communauté européenne, offrir un pôle solide, homogène en
Europe pour canaliser l'ensemble des mouvements qui,
aujourd'hui, occupent et passionnent les peuples »), un
journaliste allemand m'attaqua d'emblée : « Avez-vous
peur d'une éventuelle réunification de l'Allemagne ? »
Mais soit faiblesse du micro, soit distraction de l'interprète, la traduction ne suivit pas. Kohl se pencha vers
moi et me dit à mi-voix : « C'est une question importante. Il faut que tout le monde l'entende. » Helmut
Kohl avait l'air de passer un examen difficile, notèrent
Luc Rosenzweig et Claire Tréan dans *Le Monde* du
lendemain : « Il écoutait, confiant mais extrêmement
tendu comme si l'épreuve imposée à son " ami
François " était périlleuse pour lui-même, puis carrément mal à l'aise lorsque vint une autre question portant sur la frontière orientale de l'Allemagne. » Je sentais, moi aussi, que de ma réponse dépendraient
d'incontrôlables conséquences. Elle fut celle-ci : « Ce
problème ne doit pas se situer sur le plan des craintes
ou de l'approbation [...]. Ce qui compte, c'est la
volonté et la détermination du peuple [...]. Non, je n'ai
pas peur de la réunification. L'histoire est là, je la
prends comme elle est. » Et j'ajoutai, pour un autre
journaliste, allemand lui aussi, qui souhaitait connaître
mes prévisions, que les dix ans à venir ne s'écouleraient

pas sans une transformation radicale des structures de l'Europe. « Ça va vite, très vite. Pas un homme politique européen ne doit désormais raisonner sans intégrer cette donnée. » C'est alors que Luc Rosenzweig me demanda si j'estimais que l'unité allemande entraînerait une modification de la frontière Oder-Neisse. Je me bornai à cette réponse elliptique : « Il n'y a pas lieu de revenir sur ce sujet », qui allait cependant être au centre du débat franco-allemand pendant plusieurs mois.

Muette d'abord, l'opposition, en France, commençait à se faire bruyante. Mais un bon mois passa avant que les plus clairvoyants des siens organisent leurs prises de position autour d'arguments réfléchis et solides. Dans *Le Quotidien de Paris* du 13 décembre, M. Léotard écrivit qu'« il serait véritablement irresponsable de laisser les Allemands gérer seuls leur légitime aspiration à la réunification » et que « nous devrons les y aider en maîtrisant avec eux le cadre, la méthode, le calendrier qui permettront à ce peuple ami de disposer de lui-même sans indisposer ses voisins ». À cette fin, il suggéra de dire « oui à une Allemagne plus forte en disant oui également à une Europe plus forte ». Je ne pensais ni ne parlais autrement. Le même jour, dans le même journal, M. Jacques Chirac fixait les conditions qui devaient accompagner, selon lui, l'autodétermination du peuple allemand : « Notre discours sur l'unité allemande doit être constructif. Nous ne devons plus nous contenter de dire que nous sommes favorables à la libre autodétermination du peuple allemand. Nous devons ajouter que ceci est désormais un objectif que nous comprenons et soutenons. Parallèlement, il est souhaitable que Bonn reconnaisse qu'en raison des liens de plus en plus étroits entre la France et la République fédérale la question allemande est également notre problème, non pas seulement du fait du passé, mais surtout au nom d'un avenir que l'on veut partager. La France ne redoute pas l'unité du peuple allemand, elle est décidée à agir pour lui permettre de choisir librement son destin. Mais il est naturel et légitime que cette évolution se fasse dans le respect d'un certain nombre de principes que nos amis allemands admettent parfaitement :

– D'abord, l'intangibilité des frontières actuelles, et notamment de la frontière occidentale de la Pologne, la ligne Oder-Neisse [à cet endroit, l'ancien Premier ministre employa une formule prémonitoire dont on comprendra plus tard le sens : " Il ne s'agit pas de sortir de l'Europe de Yalta pour retourner à l'Europe de Sarajevo "].

– Ensuite, la réaffirmation, conformément aux accords internationaux de la non-possession par l'Allemagne des armes atomiques, bactériologiques et chimiques.

– Enfin, comme l'a d'ailleurs indiqué M. Kohl, le maintien de l'ancrage de l'Allemagne à l'Ouest, c'est-à-dire d'un rôle actif de ce pays dans la Communauté et dans l'Alliance atlantique. »

Ces analyses et suggestions, on le voit, recoupaient les miennes, presque mot pour mot, phénomène assez rare pour être remarqué. Poursuivre la polémique n'avait plus de sens. Elle continua, cependant, pour cause de politique intérieure. M. Giscard d'Estaing, surtout, marqua sa différence. Tout en condamnant

ma politique, il présenta la sienne, incisive, argumen-
tée, dans deux déclarations, faites le 10 novembre, l'une
au *Figaro Magazine,* l'autre quelques heures plus tard
à *Objections,* émission radiodiffusée de France-Inter.
Face à Catherine Nay, qui lui demandait, pour *Le
Figaro Magazine* : « Quand vous entendez François
Mitterrand dire qu'il n'a pas peur de la réunification
de l'Allemagne, partagez-vous son sentiment ? », il
n'avait pas biaisé : « Je pense que ce qu'il dit est prématuré. Malgré l'accélération des événements en République démocratique, François Mitterrand va trop vite
et trop loin. Il ne faut pas enjamber les étapes [...]. Je
crois que la démarche française devrait être la suivante :
fédération de l'Europe de l'Ouest d'abord, rapprochement de l'Allemagne de l'Est avec cette fédération
ensuite. » Il reprit cette idée à *Objections,* au cours d'un
dialogue avec quatre journalistes dont j'extrais ce bref
passage. À la question de Pierre Le Marc : « Vous sem-
blez être beaucoup plus réticent que le Président
Mitterrand à l'égard de la réunification des deux
Allemagnes. En quoi son attitude vous paraît-elle pré-
maturée ? », M. Giscard d'Estaing répondit : « Vous
raisonnez tous, à mon avis, un peu trop vite, y compris
le Président Mitterrand, comme si on devait passer par
une phase de réunification nationale de l'État allemand. Mais réfléchissez à ce que seraient la carte et
l'état de l'Europe s'il y avait cette réunification. » Thèse
qu'il reprit le surlendemain : « Certains se sont montrés
imprudents, en particulier le président de la République, en disant que la disparition du Mur, cela voulait dire la réunification très prochaine. » Et il s'expli-
qua : passer par le stade d'un État national allemand

réunifié serait dangereux pour l'Europe. Une Allemagne de quatre-vingts millions d'habitants, à économie dominante, ayant retrouvé sa capitale impériale, Berlin, signifierait que nous serions entrés dans une Europe foncièrement différente de celle du Marché commun. Pour échapper à ce danger, il devenait urgent de donner à la Communauté européenne une structure fédérale. Là était la priorité. Ce ne serait qu'après l'achèvement du processus à l'Ouest que l'on pourrait concevoir l'adhésion de plusieurs pays de l'Est, dont la République démocratique. Après quoi l'unification serait possible. En somme, M. Giscard d'Estaing établissait une hiérarchie des urgences contraire à celle qui s'esquissait. Ce qu'il confirma pour que tout fût clair : « Ma vision est que je souhaite que ce soit l'Europe fédérale qui accueille le moment venu l'Allemagne de l'Est et que ce ne soit pas l'Allemagne fédérale toute seule qui l'accueille. Quand ? À mon avis, d'ici la fin du siècle. » L'ancien chef de l'État n'était pas seul à penser de la sorte. Son raisonnement rencontrait celui de nombreux responsables de tous bords, inquiets à la perspective d'une Allemagne réunifiée avant son arrimage irréductible à l'Ouest. Je n'étais pas insensible à l'argument, loin de là. Mais j'avais à traiter l'Histoire telle qu'elle se faisait et non telle qu'elle se rêvait. Non seulement l'unité de l'Allemagne paraissait jouée, et les marques de faiblesse d'une Union soviétique en passe de perdre son empire et de se disloquer ne pouvaient qu'accélérer l'échéance, mais encore j'estimais juste que ce peuple coupé en deux par la loi des vainqueurs retrouvât la même patrie. Je ne me dissimulais pas cependant le risque que courrait la France au retour en force de son puissant voisin. Cette situation nouvelle exigerait d'elle un effort exceptionnel et durable pour supporter la concurrence d'un peuple plus nombreux, remarquablement organisé et méthodique, doté d'une industrie et d'une monnaie plus actives, plus solides que les siennes, présent sur tous les marchés et occupant un espace privilégié au cœur de l'Europe. Mais nous devions accepter ces défis. La France en était capable. Il convenait pour cela d'encourager l'accroissement de la démographie déjà plus prometteuse que celle de l'Allemagne, de moderniser notre industrie, d'asseoir notre monnaie sur une économie restaurée, d'aller hardiment de l'avant pour affirmer notre force d'invention, de création, de poursuivre jusqu'à son achèvement la construction communautaire. L'unité allemande commandait de la sorte à la France d'arc-bouter sa politique intérieure sur les objectifs ainsi désignés.

Quant à la construction européenne soudain rattrapée par la rapidité du temps et de l'événement, je déplorais, moi aussi, ses lenteurs. Je ne pouvais ignorer qu'en cette fin d'année 1989 aucun accord entre les Douze n'annonçait, fût-ce à échéance lointaine, la structure fédérale, qui avait ma préférence, tandis que le processus allemand, lui, s'accélérait. Je constatais le délabrement de l'Union soviétique, la prise de distance de la Hongrie et de la Pologne avec Moscou, l'ébranlement de l'Europe communiste tout entière, les réactions en chaîne que commençait de provoquer la chute du Mur, la rupture des digues qui séparaient les deux Europes. L'étrange était que M. Giscard d'Estaing soutenait qu'il convenait de renvoyer la réunification à l'achèvement de l'édifice européen, tout en dénonçant le manque prétendu d'ardeur de notre diplomatie à la réaliser dans l'instant. Emboîtant le pas, tout scrupule étouffé – sans peine semble-t-il –, l'opposition dans son ensemble lança une campagne systématique contre « nos retards » et « notre impéritie », campagne amplifiée par des journalistes qui négligèrent de vérifier leurs sources. La répétition de l'erreur, c'est une banalité de le dire, ne vaut pas vérité. Le simple énoncé des prises de position françaises qui jalonnent la période incriminée se suffit à lui-même.

Je ne reprocherai pas à M. Giscard d'Estaing d'avoir mal apprécié la logique des événements, de n'avoir pas saisi la force du mouvement qui poussait à l'unité allemande. Rares furent les hommes d'État, américains, anglais, soviétiques, allemands ou français qui, je l'ai rappelé, eurent la vue plus perçante. Mais aucun n'a tracé un schéma aussi éloigné de la réalité que le sien. Que de détours, que d'obstacles accumulés sur la route de l'unité allemande ! Mme Thatcher, dont l'opinion était voisine de celle de l'ancien Président français, s'était bornée à exiger le retour préalable de l'Allemagne de l'Est à la démocratie, et à invoquer les accords d'Helsinki. M. Giscard d'Estaing se situait de la sorte à la pointe des adversaires de l'unité allemande. Cependant, son jugement varia avec le rythme des saisons. Fédéraliste européen à tous crins en automne, l'approche de l'hiver le trouva confédéraliste allemand (confidence faite à Yves Mourousi le 11 décembre devant les micros de Radio Monte-Carlo), avant de se transformer, aux premiers souffles du printemps, en un croisé de l'unification : « Je crois qu'il faut que nous

nous habituions à l'idée que la réunion des deux Allemagnes est normale » (Radio-Télé-Luxembourg, le 16 février). Il eût été étonnant, dans ces conditions, que nous ne finissions pas par nous rejoindre quelque part. Je m'en serais réjoui. Nous étions à deux doigts d'y parvenir, quand, peu avant le solstice d'été, un coup de reins permit à M. Giscard d'Estaing de garder sa distance. « François Mitterrand a raté le train de l'unité allemande », accusa-t-il. Si telle était la vérité, on aura constaté, à la lecture de ces lignes, que beaucoup de monde, avec moi, était resté sur le quai.

Pour célébrer son quarantième anniversaire, la république fédérale d'Allemagne avait fait éditer par ses services d'information, en juin 1989, un ouvrage de six cents pages magnifiant son exceptionnelle réussite et la place reconquise par l'Allemagne dans le monde. Un éminent professeur d'Histoire contemporaine, M. Werner Weidenfeld, en rédigea l'exposé introductif. Malgré la concomitance de cette publication avec les événements que nous rapportons, nulle trace, dans cet épais ouvrage, nulle allusion n'y annonçait les bouleversements qui allaient transformer l'Allemagne et, avec elle, l'Europe entière. C'est que la succession de coups de théâtre qui se déroulaient dans les États satellites de l'Union soviétique continuait de paraître inimaginable aux Allemands de l'Ouest. Les esprits les mieux informés et les plus ambitieux n'allaient pas au-delà du modeste futur exprimé par cette confidence en mars 1989 du secrétaire d'État à la présidence fédérale, M. Blech, à l'ambassadeur de France à Bonn : « L'idée d'une confédération pour l'ensemble de l'Allemagne n'est plus désormais exclue. »

Une semaine après la chute du Mur, devant le Bundestag, le Chancelier invitait ses compatriotes à la plus grande prudence : « La joie que nous procurent les nouveaux espaces de liberté conquis en République démocratique ne doit pas nous faire oublier que nous n'en sommes encore qu'au début d'une évolution, que nous sommes encore loin du but [...]. Nous devons, dans tous nos actes, rester pondérés et garder la tête froide. » Avec la même circonspection, l'opposition social-démocrate en perte de vitesse approfondissait sa réflexion. L'ancien Chancelier Willy Brandt se faisait son porte-parole, notamment dans une interview donnée au *Monde* qui eut un grand retentissement. Simultanément on s'interrogeait à la CDU, les critiques affleuraient à la surface des débats internes du parti au pouvoir, Helmut Kohl n'était-il pas dépassé ? C'est alors que le Chancelier intervint. La déclaration en dix points qu'il lut au Bundestag, le matin du 28 novembre, représente le premier texte public argumenté et détaillé dans lequel la République fédérale fixe sa politique, ou du moins la divulgue. Une analyse stricte de ce programme montre que ses effets sont allés beaucoup plus loin ou, en tout cas, beaucoup plus vite que ne l'envisageait initialement son auteur. Personne au sein du gouvernement de Bonn et dans les chancelleries de la Communauté des douze n'avait été mis au courant des intentions du Chancelier sinon quelques-uns de ses collaborateurs. Dans son livre *329 Tage Innen ansichten der Einigung,* paru en 1991, Horst Teltschik, à l'époque conseiller spécial d'Helmut

Kohl, note que, la veille, ce dernier, travaillant son texte, avait observé que cinq à dix ans seraient nécessaires pour réaliser l'union. Et Teltschik ajoute : « Même si l'unité n'était que pour la fin de ce siècle, on pouvait parler d'un heureux hasard de l'Histoire. » Quoi qu'il en fût, le Chancelier n'avait, à l'évidence, décidé de parler qu'à la dernière minute, puisque, pour saisir le Parlement, il dut utiliser le biais d'une deuxième lecture du projet de budget. Nous nous en sommes entretenus depuis lors, lui et moi. Contrairement à l'information répandue dans la presse allemande et reprise par la presse française, je n'ai pas contesté le droit à l'initiative du chef de gouvernement allemand alors qu'était en jeu le sort de sa patrie, et j'ai compris et admis la nécessité où il s'était trouvé face aux incertitudes de l'opinion et à l'inquiétude de son parti. Au demeurant, une lecture attentive des dix points montrait qu'ils ne marquaient pas de rupture avec la démarche antérieure. Soucieux de ne pas heurter l'Union soviétique encore hostile à l'unification, Helmut Kohl se bornait à placer celle-ci en perspective. Proche, lointaine ? Qui pouvait le dire ? L'Europe n'en était qu'à ses premiers ébranlements. Mais la thèse était claire : il y avait deux États, il n'y avait qu'un peuple allemand. Les deux États avaient donc pour vocation de s'unir. Tout cela s'inscrivait dans le droit-fil de la Constitution que la République fédérale s'était donnée à sa naissance en 1959. Rien n'était en contradiction avec ce que je savais de la pensée du Chancelier et de sa méthode ni avec ce qu'il m'en avait dit. Il poussait ses pièces sur l'échiquier à mesure que la partie avançait mais ne changeait pas la règle du jeu. Qu'avais-je à lui

reprocher ? Les « petits pas » se précipitaient ? Les événements aussi ! Il n'y eut pas de dissentiment ni de
refroidissement dans les relations franco-allemandes. À
écouter l'opposition en France, copie conforme, plus
que de raison, de la presse allemande la plus hostile à
notre pays, on eût cru le contraire. Au demeurant, sur
quelles tables de la loi était-il écrit que la France devait
automatiquement s'aligner sur l'intérêt allemand ?
Mais il y eut débat. Ce débat, nous le menâmes, Kohl
et moi, à visage découvert, jugeant que nos deux pays
avaient tout à gagner à parler clair. Certes, j'étais pré-
occupé par le silence du Chancelier sur la frontière
germano-polonaise, et je le lui dis. Nous convînmes
d'en discuter. Helmut Kohl insistait sur le fait qu'il
n'existait pas, entre nous, de mésentente sur le fond
mais que la France devait tenir compte de « l'opportunité ». Au vrai, en ce début novembre 1989, peu de
gens étaient sortis des pétitions de principe sur le problème de l'unité. Ce que Willy Brandt exprimait avec
ironie : « Nous avons affaire à des alliés qui, tant que
cela ne coûtait rien, auraient signé tous les jours des
textes affirmant que l'Allemagne doit surmonter sa
division, si on leur avait demandé. » Avant d'ajouter :
« Kohl a évoqué quelque chose de beaucoup plus
modeste et ne pensait pas que cela pouvait susciter des
résistances. » En effet, pris à la lettre, le programme des
dix points n'avait pas de quoi inquiéter les plus vigi-
lants censeurs de la politique allemande ni les plus
soupçonneux. Il commençait par un long préambule
où étaient célébrés les mérites « des hommes [de République démocratique et des pays de l'Est] qui avaient
manifesté d'impressionnante façon leur volonté de

liberté », et remerciés les artisans du renouveau, Mikhaïl Gorbatchev en tête. Personne n'était oublié, ni la Communauté des douze, ni l'Alliance atlantique, ni la Pologne et la Hongrie « qui avaient donné l'exemple », ni la Conférence pour la sécurité et la coopération en Europe (CSCE). Il s'achevait sur une incantation et un rappel. L'incantation : « Aujourd'hui, cela est visible pour tout un chacun, nous sommes à la veille d'un nouveau chapitre qui montre la voie à suivre au-delà du *statu quo*, au-delà des structures politiques existant jusqu'ici en Europe. » Le rappel : « Un règlement définitif et durable en Europe n'est pas possible sans une solution de la question de l'Allemagne qui constitue la clef de voûte des tensions actuelles [...]. Tout règlement de ce genre doit lever les barrières contre nature entre l'Europe de l'Est et l'Europe de l'Ouest qui se manifestent de la façon la plus évidente et la plus cruelle dans la partition de l'Allemagne », texte tiré en son entier de la résolution de l'OTAN, que j'ai déjà citée et qui datait de 1967. Le premier point énumérait les mesures d'urgence à prendre pour les relations entre les deux États, spécialement pour les voyages interallemands ; le deuxième touchait pêle-mêle à la coopération économique, technologique et culturelle, à l'amélioration du réseau téléphonique, au raccordement des voies ferrées ; le troisième liait l'aide de l'Ouest aux réformes de l'Est, élections libres, multipartisme, économie de marché, ouverture aux investissements occidentaux. Avec le quatrième, on entrait dans le vif du sujet. Le Chancelier reprenait l'idée du Premier ministre de République démocratique allemande, Hans Modrow, qui avait suggéré la création d'une communauté contractuelle où l'on multiplierait les institutions communes et les commissions de travail consacrées à l'économie, aux transports, à l'environnement, à la technologie, à la santé, à la culture. Le cinquième point visait plus haut : « Nous sommes disposés à faire encore un pas de plus, un pas déterminant, à instaurer des structures confédératives dans le but de créer ensemble une fédération, c'est-à-dire un régime d'État fédéral en Allemagne. De nouvelles formes de coopération institutionnelle pourront émerger et être étendues graduellement », avec ce bémol : « Nul ne sait aujourd'hui quel sera finalement l'aspect d'une Allemagne réunifiée... »

Helmut Kohl était monté à la tribune à 10 heures. À midi, son interprète le plus autorisé, Horst Teltschick, commentait le discours aux trois ambassadeurs de France, de Grande-Bretagne et des États-Unis. À la question centrale : où va l'Allemagne ? M. Teltschick, paraphrasant le Chancelier, résumait : « Vers une communauté d'intérêts entre les deux États pouvant déboucher un jour sur des structures confédérales et confluer plus tard vers l'unité de l'Allemagne. » Les ambassadeurs notèrent le côté passe-partout des formules : « communauté d'intérêts », « pouvant déboucher un jour », « confluer plus tard vers ». Helmut Kohl, patriote allemand, tout en se plaçant à l'avant-garde du mouvement vers l'unité, évitait avec sagesse de préjuger du temps qu'il faudrait à la République démocratique pour changer d'idéologie, d'institutions, de pratiques et rendre ainsi l'unification réalisable. Willy Brandt avait trouvé ce programme « modeste ». Sans doute était-il le plus audacieux possible au moment où le Chancelier l'énonçait faute de connaître les intentions soviétiques. En vérité, les dirigeants allemands, fin novembre, persévéraient dans la politique des petits pas et pensaient qu'après en avoir accompli quelques-uns il y en aurait encore beaucoup d'autres avant d'atteindre le bout de la route.

Plus classiques étaient le sixième point, qui évoquait l'architecture future de l'Europe par référence à la maison commune proposée par Gorbatchev ; le septième, qui traitait des relations présentes et futures entre la Communauté des douze et les pays d'Europe centrale et orientale ; le huitième, de la Conférence pour la sécurité et la coopération en Europe ; le neuvième, de l'armement et du contrôle des armements. Quant au dixième, il réitérait le souhait de voir le peuple allemand recouvrer son unité par une libre autodétermination et constatait, en guise de conclusion : « Nous sommes conscients de ce que, dans la voie menant à l'unité allemande, des questions particulièrement difficiles se poseront, questions auxquelles nous ne pouvons pas encore donner des réponses définitives... »

En résumé, le programme en dix points était fondé sur l'idée d'une communauté contractuelle. Il y était parlé d'aide immédiate, de coopération, d'aide à long terme, de contrat, de réformes, mais l'hypothèse de la disparition de l'État allemand de l'Est n'était pas explicite. Helmut Kohl avait réaffirmé que, quoi qu'il pût advenir, l'évolution vers l'unité de l'Allemagne irait de pair avec la marche de l'Europe vers sa propre unité. Cependant, en dépit de la dimension et de la densité du discours, trois sujets n'y figuraient pas : la question des frontières, la question des alliances, le rappel des droits des puissances garantes.

Mais l'histoire s'accélérait. À Berlin-Est, on ne croyait plus à l'avenir d'un État renié par son peuple. M. Modrow offrait au Chancelier de venir présider la cérémonie d'ouverture de la porte de Brandebourg. Il se déclarait prêt à conclure le « traité créant une communauté d'intérêts ». Le 28 janvier 1990, après une table ronde avec les représentants des forces politiques, il présenta un nouveau programme de gouvernement : les élections à la Volkskammer (Chambre du peuple) devaient être avancées au 18 mars, les élections communales auraient lieu le 6 mai. Le 30 janvier, le même Modrow était à Moscou. De retour à Berlin et fort du consentement de Gorbatchev, il avança un plan en quatre points : « pour l'unité de l'Allemagne » *(Für Deutschland einig Vaterland)* et il reconnut devant un groupe de journalistes que « tout s'effilochait ».

De son côté, la République fédérale se préparait à la négociation interallemande. Le gouvernement institua « un conseil de cabinet pour l'unité », placé sous la direction du Chancelier et qui comprenait six groupes de travail : monnaie, réglementation sociale et enseignement, questions juridiques, structures étatiques, politique extérieure, sécurité. Commenceront alors les journées décisives. Le 10 février, M. Gorbatchev prononcera, à Moscou, devant le Chancelier Kohl et M. Genscher, les paroles tant attendues : « Il appartient aux Allemands eux-mêmes de résoudre la question de l'unité de la nation allemande ; ils doivent choisir eux-mêmes sous quelles formes, selon quel rythme et dans quelles conditions ils réaliseront cette unité qui doit être imbriquée dans une architecture de l'ensemble de l'Europe et dans le processus d'ensemble des relations Est-Ouest. » Je reviendrai sur ces derniers événements.

Entre-temps, président en exercice du Conseil européen pour le second semestre de l'année 1989, j'avais invité les pays membres de la Communauté à se réunir à Paris le 18 novembre.

Cette réunion, avais-je précisé, resterait informelle, ne serait suivie d'aucun communiqué, et se déroulerait pendant et autour d'un dîner qui permettrait aux Douze un échange de vues sur la situation en Europe de l'Est, particulièrement en République démocratique allemande. En dépit de l'insistance d'une partie de l'opposition en France qui plaidait depuis plusieurs jours pour que fût avancée la date du Conseil européen de Strasbourg fixée au 6 décembre, il me paraissait imprudent d'hypothéquer, sans préparation ni négociations préalables, cet important rendez-vous. « Venant à son heure, avais-je dit au Conseil des ministres du 15 novembre, la rencontre de Strasbourg se tiendra sous un éclairage différent de celui d'aujourd'hui, avec le recul nécessaire pour examiner l'ensemble des problèmes posés par l'unité allemande. » J'allais de la sorte

au-devant des préoccupations non exprimées de la plupart des responsables occidentaux. En retrait,
Mme Thatcher, sans s'opposer à mon initiative, s'inquiétait de « tout excès d'enthousiasme » devant les
événements de Berlin et s'alarmait d'une évolution trop
rapide, à ses yeux, de la situation. Elle considérait
comme « un grand danger » toute accélération de la
déstabilisation de l'Est et ne voulait pas prendre le
risque de compromettre la politique de réformes de
Mikhaïl Gorbatchev. Fidèle à l'esprit du message
qu'elle avait adressé le 4 novembre à ce dernier (« Je
trouve, comme vous, que la rapidité avec laquelle se
produisent ces changements porte en soi un risque
d'instabilité... »), elle avait cherché à obtenir des assurances du Chancelier Kohl pour qu'à l'occasion du
dîner de l'Élysée il fît passer ses engagements communautaires avant la question allemande.

Bien qu'Helmut Kohl fût entièrement d'accord
avec ma démarche, notre ambassadeur à Bonn,
M. Boidevaix, notait dans ses télégrammes que « la
classe politique allemande, à l'image de l'opinion,
n'avait pas encore une idée claire de ce qu'elle voulait
et de ce qu'elle pouvait attendre des évolutions en cours
[...]. D'accord pour la liberté de choix de l'Est, les
discussions entre Allemands deviennent plus floues dès
lors que l'on cherche à établir des priorités : quelle aide
économique et dans quelles conditions ? Quelle autodétermination, quand et sous quelle forme ? Quelle
forme d'unité pour l'Allemagne ? Quelle Allemagne
dans quelle Europe ?... » Par le canal d'Horst Teltschick,
le Chancelier me fit savoir, quarante-huit heures avant
le dîner de l'Élysée, que l'on souhaitait vivement à

Bonn voir la Communauté réaffirmer « le droit des habitants de la République démocratique à voyager librement, à obtenir la liberté d'expression, la liberté syndicale, la construction de partis indépendants, l'organisation d'élections libres, équitables et secrètes », ainsi que sa résolution de « déployer de plus amples efforts pour surmonter la division de l'Europe, d'œuvrer en faveur d'un état de paix en Europe dans lequel le peuple allemand recouvrerait son unité par libre autodétermination ».

On discutait passionnément de ces sujets en Allemagne. Lors d'un débat au Bundestag, le 16 novembre, le Chancelier avait insisté sur l'idée que « la République fédérale ne voulait forcer personne ni donner de leçon à quiconque », et il avait usé d'une expression révélatrice de son état d'esprit : « La liberté est au cœur de la question allemande. » Plus net encore, son ministre des Finances, M. Waigel, avait surenchéri : « La liberté passe avant l'unité. » Au nom des sociaux-démocrates, Willy Brandt s'était prononcé dans le même sens tout en redoutant que le mot de réunification, qui pouvait signifier un retour à l'état de choses antérieur, ne créât de nouveaux fantasmes. Cette unanimité apparente cachait pourtant de violentes contradictions. On s'en aperçut quand, sous les huées de la majorité, le maire de Berlin, M. Momper, reprocha au Chancelier « sa passivité » et déplora que la République fédérale eût un « comportement de riche ». En réalité, les dirigeants allemands n'allaient pas, ne voulaient pas aller au bout de leur pensée. Trop d'obstacles restaient à surmonter. Risquer le refus d'une ou deux des quatre puissances de tutelle pouvait ruiner la jeune espérance née sur les décombres du Mur. Avant tout, pensaient-ils, il convenait d'apaiser les craintes que ferait inévitablement resurgir le spectre d'une grande Allemagne réunifiée. D'où le souhait que, le 18 à Paris, fût esquivée cette discussion que l'on approfondirait après un temps de respiration, par exemple pendant les trois semaines qui séparaient le dîner de l'Élysée du Conseil de Strasbourg. De son côté, Mikhaïl Gorbatchev accentua sa pression pour qu'aucune décision ne fût prise. Il envoya à Bonn un « message verbal » dont il me communiqua les termes : « J'ai appelé le Chancelier Kohl à prendre de toute urgence les dispositions indispensables afin d'éviter que la situation ne s'aggrave et ne soit déstabilisée. Notre ambassadeur à Berlin a reçu l'instruction de contacter sans délai les représentants de l'administration des trois puissances à Berlin-Ouest. J'espère que vous donnerez de votre côté les instructions appropriées à votre représentant pour empêcher que les événements ne prennent une tournure indésirable. » À quoi songeait-il ? Le message l'exprimait *in fine* sans la moindre ambiguïté : « Lorsque des voix s'élèvent en République fédérale tendant à exciter les passions dans l'esprit d'intolérance vis-à-vis des réalités d'après guerre, à savoir vis-à-vis des deux États allemands, de telles manifestations de l'extrémisme politique ne sauraient être interprétées autrement que comme des tentatives visant à saper le processus de démocratisation et de renouveau (en République démocratique). »

C'est dans ce climat que s'ouvrit le dîner des Douze. Helmut Kohl, auquel je donnai la parole en premier, développa longuement l'argument dont il s'était fait le champion : l'unité allemande et l'unité européenne étaient inséparables. S'il ne l'exprima pas, on comprit que, faute de pouvoir fixer un calendrier, un cadre et un processus institutionnel à la réunification, qui suscitaient tant d'incertitudes à l'intérieur et de réactions hostiles à l'extérieur, mieux valait laisser aux faits le soin de décanter la situation. Que feraient les dirigeants de la République démocratique ? Étaient-ils prêts à franchir le pas vers un statut démocratique ? Accepteraient-ils la fusion en un seul État ou s'accrocheraient-ils au schéma officiel de deux entités de droit international seulement liées par des accords particuliers, limite extrême de ce que pouvait accepter Moscou ? Devait-on attendre une effervescence populaire qui bousculerait les échéances ? Le Chancelier était sous le coup de l'affront subi, la semaine précédente devant la mairie de Schoenberg, à Berlin, où la foule l'avait insulté, alors qu'elle avait accueilli avec faveur MM. Brandt et Genscher qui s'étaient gardés de plaider pour l'avènement d'un État unifié. Il ne pouvait ignorer non plus les réserves de ses partenaires des Douze sur l'unité allemande en l'absence de garanties que nul n'était encore en mesure de fournir. Enfin, l'opposition radicale de l'Union soviétique ne pouvait être abordée de front.

Les autres intervenants discoururent à tour de rôle sur la solidarité européenne, sur le binôme : évolution à l'Est, intégration à l'Ouest, sur la victoire de la démocratie, sur la nécessité de consolider cette victoire par des aides économiques massives. Bref, on encouragerait les réformes, on hâterait le retour en force des Droits de l'homme, on procéderait à de rapides élections libres, on préparerait activement le Conseil de Strasbourg qui traiterait au fond le problème allemand. Si l'on évoqua l'unification, ce ne fut que par brèves allusions, comme par mégarde.

En relisant le texte de ma conférence de presse à l'issue du dîner, je retrouve tous les éléments de la conversation de ce soir-là : joie des participants devant les progrès de la liberté en Europe ; constat du rôle attractif joué par la Communauté des douze et de son effet accélérateur sur le mouvement d'opinion engagé à l'Est ; affirmation d'une volonté commune pour aider au redressement des pays de l'Est libérés de l'emprise totalitaire ; démarche auprès du Fonds monétaire international pour faciliter les premiers pas de la Pologne et de la Hongrie, adeptes récentes de l'économie libérale ; soutien aux réformes en République démocratique ; interrogation sur la crise qui commençait en Yougoslavie ; mandat confié à la « troïka » communautaire (à l'époque, France, Espagne, Irlande) pour qu'elle mît au point un projet de banque pour le développement et la modernisation de l'Europe de l'Est, une fondation pour la formation des cadres et l'ouverture éventuelle des institutions internationales aux nouvelles démocraties.

Les journalistes devant lesquels je m'exprimai, avec à mes côtés Felipe Gonzáles, Premier ministre espagnol, et M. Haughey, Premier ministre d'Irlande, affichèrent une discrétion égale à celle des chefs d'État et de gouvernement, à l'exception de deux d'entre eux. L'un qui me demanda : « Avez-vous parlé lors de ce dîner de l'unification des deux Allemagnes ? », et auquel je répondis simplement : « Non. » L'autre, pour

interroger : « Parmi les conséquences de l'évolution à
l'Est, avez-vous évoqué celle qui concerne plus directement l'équilibre stratégique en Europe ? » « Oui, lui
dis-je, comme vous venez de le faire vous-même, par
ricochet. Tout se déroulera dans le cadre des alliances
existantes ou lors des conversations sur le désarmement. » Là se borna la curiosité de mes interlocuteurs.
Chacun savait que, si le monde d'hier venait de
connaître une cassure historique, le monde d'aujourd'hui ignorait quand, comment et à quel rythme
prendrait forme l'Europe du lendemain.

Quatre jours après le rendez-vous de l'Élysée,
j'exposai de nouveau, devant le Parlement européen,
à peu près dans les termes employés quinze jours plus
tôt, les raisons de mon attitude : « Je me suis interrogé. J'ai pensé qu'il fallait un peu de distance au
regard des sentiments, des émotions des premières
heures avant que l'on commence à y voir clair, que
les peuples commencent à distinguer ce qui sépare
leurs ambitions, leurs volontés profondes, parfois
leurs rêves, de la réalité présente... » Ces événements
m'avaient ancré dans la conviction « qu'en tout état
de cause une Communauté forte et structurée serait
le principal facteur de réussite pour l'ensemble de
l'Europe [...], qu'elle devrait affirmer son identité, sa
détermination, renforcer ses institutions, sceller son
union, que telle était la leçon à retenir pour rendre
possible l'ouverture à l'Est en même temps que
s'achèverait l'édifice communautaire ».

Le lecteur m'accusera peut-être d'idée fixe. Pourquoi
l'Europe, toujours l'Europe ? Bien d'autres événements
d'envergure se passaient dans le monde qui eussent

exigé autant de soins et d'attentions. J'en avais
conscience et je n'avais pas abandonné les autres causes
capables de mobiliser les peuples à défaut des États : le
développement des pays pauvres, l'hypocrite persis-
tance du pacte colonial au bénéfice du Nord contre le
Sud, l'avènement d'un droit international par le moyen
des Nations unies, assez fort pour juguler la force et la
violence, la renaissance des nationalismes. Mais si
l'Europe n'avait pas réponse à tout, sa rentrée au-
devant de la scène, après trois quarts de siècle d'assu-
jettissement, parfois d'humiliation, restituait à nos pays
et d'abord à ceux de la Communauté la chance de faire
l'Histoire au lieu de la subir. On me fera, je l'espère,
la grâce de penser que je ne cédais pas, en raisonnant
de la sorte, à l'ambition ou au goût de revanche. Mais
si l'on appelle orgueil ma volonté européenne, je le
veux bien.

Désireux de ne pas interrompre ce récit consacré pour l'essentiel à la situation allemande et à son environnement politique et diplomatique, en ces mois de novembre et décembre 1989, j'ai préféré ne pas distraire l'attention du lecteur en la détournant sur une polémique, mineure celle-là, lancée par l'opposition de droite en France qui me reprochait de ne pas avoir forcé la porte, au nom de la Communauté européenne, de la rencontre Bush-Gorbatchev prévue pour les 2 et 3 décembre dans les eaux territoriales de Malte. Si je le fais maintenant, c'est par souci d'exactitude, l'insistance mise par certains pour obtenir de moi la convocation rapide du Conseil européen s'expliquant, au-delà de l'affaire allemande, par le souci de faire entendre la voix de l'Europe au plus haut niveau. J'étais très réticent sur ce projet et je ne suis pas sûr que ceux qui l'avaient conçu y croyaient vraiment. Depuis que ce type de rendez-vous existait, jamais, du moins depuis Yalta, où se trouvait Churchill, l'Américain et le Soviétique n'avaient admis de tierce puissance à leur table. Bien entendu j'avais hâte, autant que quiconque – peut-être plus, mais à quoi bon le répéter ? –, de voir cesser cette double domination. Mais la sagesse commandait encore un peu de patience pour que l'Europe, enfin majeure, libérée de la menace soviétique et forte de son unité, pût prétendre au rang que la fin du siècle lui destinait. C'est à cela, me semblait-il, qu'il fallait travailler. Je fis donc observer non seulement que l'Europe n'avait pas été invitée, mais aussi que j'attachais une faible importance à une rencontre dont, à l'évidence, il ne sortirait rien. Au demeurant, j'imaginais mal la scène d'un président du Conseil européen quémandant un strapontin sur le navire amiral de l'une ou l'autre des superpuissances, puis s'éclipsant après l'humble compte rendu du dîner de l'Élysée pour laisser Bush et Gorbatchev poursuivre leur conversation sur des sujets qu'ils étaient seuls en mesure de traiter, tel le désarmement nucléaire qui leur importait beaucoup plus que le reste et sur lequel les Européens n'avaient rien à dire ou à faire, soit qu'ils ne fussent pas détenteurs de l'arme atomique, soit qu'ils le fussent et que, précisément pour cela, un pays comme la France avait de multiples raisons de rester hors d'une négociation où, à cause de l'énorme différence entre son arsenal et le potentiel des arsenaux américain et soviétique, elle avait tout à perdre. Je ne comprenais pas qu'on pût attendre de cette démarche autre chose que le contraire du résultat escompté : l'Europe aux pieds de ceux qu'elle prétendait égaler. Je ne discernais pas davantage en quoi l'absence de la Communauté constituait pour elle un danger, les échanges de vues planétaires des deux interlocuteurs de Malte étant privés de toute incidence réelle sur le sort de notre continent. Nous n'en étions plus aux belles années du partage du monde. Cela, Bush et Gorbatchev le savaient. Ils n'avaient pas la moindre intention de se mêler trop visiblement du débat européen qui, de plus en plus, leur échappait. Non qu'ils fussent démunis de moyens d'influence sur les Douze. Mais ils en usaient par d'autres canaux et sans recourir à des interventions publiques. Une lettre de George Bush me confirma dans cette analyse : « Je voudrais que vous sachiez, m'écrivit-il, avant que cela ne soit publiquement annoncé, que le Président Gorbatchev et moi-même, nous nous rencontrerons en Méditerranée, afin de faire le point sur la situation internationale et de discuter des relations soviéto-américaines [...]. Je ne pense pas que ces entretiens constituent une session de négociations détaillées, et, de même, je ne m'attends pas à ce que nous concluions, au cours de cette rencontre, des accords sur des problèmes importants. Comme vous le savez, je n'ai pas encore eu l'occasion de rencontrer le Président Gorbatchev depuis mon accession à la présidence et, bien que nous nous soyons souvent écrit, je souhaite établir un contact personnel avec lui... » J'informai du contenu de cette lettre le Conseil des ministres du 15 novembre, information que j'assortis d'un commentaire qui laissait penser que le dîner de l'Élysée ne fournirait pas d'éléments assez importants et nouveaux pour justifier l'envoi d'un messager spécial aux deux illustres navigateurs. Pour tenir compte, cependant, des vœux de l'opposition et parce qu'il était bon, en soi, d'entretenir un dialogue continu, je pris rendez-vous avec Mikhaïl Gorbatchev pour le

6 décembre à Kiev, ce qui aurait le grand intérêt de me permettre de connaître ses dispositions et de les communiquer aux autres participants du sommet de Strasbourg qui avait lieu le lendemain. Je convins également d'une entrevue avec George Bush, pour le 16 décembre, dans la partie française de l'île Saint-Martin, aux Caraïbes.

Peu après, le 23 novembre, je retournai devant le Parlement européen et lui rapportai le déroulement du dîner de Paris. Je rendis un nouvel hommage au rôle déterminant de Mikhaïl Gorbatchev. Je décrivis la Communauté comme « le seul point d'attraction réelle » pour l'avenir du continent, j'insistai pour qu'elle prît conscience de son identité en donnant plus de corps à ses institutions et je terminai sur cette interrogation : « La Communauté a-t-elle répondu aux attentes de ceux qui croient en elle ? A-t-elle vraiment entendu l'appel angoissé de M. Mazowiecki qui demandait qu'on ne laissât pas se perpétuer l'Europe des riches et l'Europe des pauvres ? » Ce même jour, dans une interview à *Paris-Match,* j'abordai de nouveau le thème de l'unification : « Pour moi, y déclarai-je, c'est la volonté du peuple allemand qui compte [...]. Mais la volonté de ce peuple ne peut se passer de l'accord des États, des États allemands comme des États garants du statut allemand » et j'enfonçai le clou de la reconnaissance préalable des frontières existantes en citant l'exemple polonais : « La Pologne réalise un renversement de situation catégorique et pourtant le Premier ministre issu de Solidarnosc, M. Mazowiecki, n'a pas perdu de temps pour affirmer que son pays restait un allié fidèle de l'Union soviétique, au sein du pacte de Varsovie. C'est que la question des frontières issues de la dernière guerre reste entière et ne se réglera pas dans un moment d'émotion, si compréhensible que soit cette émotion.» Il était clair, en effet, que la Pologne voulait des garanties internationales avant de valider les conséquences de l'unité allemande et ne lâcherait pas l'alliance russe si redoutée et détestée avant de s'être assurée de la pérennité de la ligne Oder-Neisse.

Indépendamment de cette difficile question, la courte période qui sépara le Conseil de Paris du Conseil de Strasbourg nous permit, à Kohl et à moi, d'arrêter un plan d'action pour la construction européenne des prochaines années. Helmut Kohl m'écrivit le 27 novembre. Sa lettre reflétait une réelle inquiétude causée par « les grandes divergences entre les Douze » qui risquaient peut-être de s'aggraver et soulignait, à l'appui, l'ampleur des déficits budgétaires, le retard de l'harmonisation fiscale et la permanence des entraves à la circulation des personnes, l'objectif étant d'éliminer les obstacles qui empêchaient encore l'union économique et monétaire d'avancer. En annexe, le Chancelier ébauchait un calendrier de travail jusqu'en 1993, à soumettre au Conseil de Strasbourg. Il demandait en particulier que fût décidée une conférence intergouvernementale qui se déroulerait en trois étapes, la première, sous présidence italienne, à partir de fin 1990 et consacrée à l'union économique et monétaire, la deuxième avant décembre 1991 qui porterait sur les autres projets de réforme institutionnelle, Conseil, Commission, Parlement, la troisième, en 1992, pour que le Conseil européen, selon le degré de réalisation du marché unique, s'engageât définitivement sur la voie de l'unité économique et de l'union politique. Après quoi interviendrait en 1993 la ratification des conclusions de la conférence.

Cette lettre montrait que le Chancelier allemand, au centre des polémiques et des débats qui agitaient l'opinion de son pays, préserverait plus que jamais l'entreprise européenne dont l'unité allemande hâtait les échéances. Nous avions souvent évoqué entre nous la nécessité où nous nous trouverions de relancer la machine mise en marche à Luxembourg quatre ans plus tôt quand nous avions, à l'arraché, obtenu l'accord de nos partenaires, et surtout de Mme Thatcher, sur le marché unique. Sans attendre la négociation proche de s'ouvrir sur le statut de l'Allemagne, nous étions convenus de pousser les feux pour que la Communauté offrît aux peuples européens une espérance plus exaltante qu'un marché, un chantier plus vaste que de simples échanges commerciaux. Le moment choisi par Kohl pour me saisir à nouveau de ce projet signifiait que les événements qui se déroulaient depuis la chute du Mur ne le faisaient pas dévier du double objectif unitaire – européen et allemand – que nous nous étions fixé. Nuance cependant : il était visible que le Chancelier désirait attendre la présidence italienne pour entamer le processus. Mon point de vue était légèrement différent. Je préférais que tout fût réglé à Strasbourg. Je le lui exprimai, par lettre en retour, le 27 novembre. « Comme vous, je pense qu'il convient de se mettre d'accord sur un calendrier. Je vous confirme donc que je poserai à Strasbourg la question de la date d'ouverture de la conférence intergouvernementale » et je continuai : « Pour les phases ultérieures, la conférence intergouvernementale devrait fonder ses travaux sur les principes – parallélisme et subsidiarité – que nous avons acceptés à Madrid [...]. Comme vous je désire, au-delà de l'union économique et monétaire, l'union européenne. » Bref, nous étions d'accord sur le principal : les travaux préparatoires de la conférence devaient être achevés pour le Conseil européen de décembre 1990.

Quatre jours plus tard, Helmut Kohl me répondait : « Tout d'abord, j'aimerais souligner à nouveau ce que j'ai déjà souligné devant le Parlement européen : l'évolution actuelle dans les pays de l'Europe centrale, de l'Europe de l'Est et du Sud-Est exige plus que jamais une politique déterminée en matière d'intégration européenne [...]. La conférence intergouvernementale doit travailler en 1991 en ayant pour but de préparer une entente politique sur ces projets de réforme fondamentaux pour le Conseil européen sous présidence néerlandaise en 1991 [...]. Le but de ce calendrier dynamique est de prévoir, pour les années 1992 et 1993, la ratification du nouveau traité [...]. J'aimerais souligner ici, à nouveau, à quel point une structuration du calendrier de l'année à venir, telle que je vous l'ai décrite ici, revêt pour moi d'importance pour des raisons de politique intérieure. »

Chute du Mur de Berlin, 9 novembre 1989. Schéma préétabli de ce qui s'appellera deux ans plus tard le traité de Maastricht. 5 décembre 1989. Moins d'un mois. En dépit de ce qui était murmuré dans les milieux diplomatiques, de ce qui était écrit dans la presse française et allemande, sur le malaise entre nos deux pays, le dialogue s'était poursuivi entre nous de façon confiante. Le futur traité d'Union européenne était déjà contenu dans nos conversations de l'époque.

À Kiev, Mikhaïl Gorbatchev qui me reçut, sitôt mon arrivée au Palais du gouvernement, expédia en moins d'une heure la relation des entretiens de Malte. Après m'avoir dit que le premier sujet abordé avait été l'économie et que, d'emblée, George Bush s'était déclaré prêt à fournir à l'Union soviétique une aide conséquente, j'eus l'impression que leur conversation s'était ensuite enlisée dans les sables des idées générales, le Président américain réservant ses cartes pour le jour où l'on en saurait davantage sur l'état des lieux à Moscou, et Gorbatchev se rétractant à l'idée d'avoir à vendre contre un argent hypothétique ce qu'il estimait devoir être sauvé des valeurs qui étaient les siennes. Mon hôte fut plus disert à propos des accords ébauchés sur le désarmement. Je les résume ici : reprise en 1990 de la Conférence sur la sécurité et la coopération en Europe ; limitation à cinquante pour cent des armes stratégiques ; réduction des effectifs d'un million d'hommes de part et d'autre ; interruption de la production et de la modernisation des armes chimiques ; calendrier de rencontres à venir, janvier, mars, avril entre Baker et Chevarnadzé, les deux ministres des Affaires étrangères. Une proposition de Mikhaïl Gorbatchev tendant à supprimer les ogives nucléaires sur les navires de surface et non sur les sous-marins avait été renvoyée aux experts. Rien non plus n'avait été réglé pour les missiles de croisière en mer, ni pour l'ensemble des questions aéronavales.

Il était clair que Bush et Gorbatchev, tous les deux désireux de réduire les tensions et d'éviter la course aux armements, n'entendaient pas pour autant s'écarter de leur choix stratégique : le premier voulant garantir la présence de ses armes sur le continent européen et ses abords maritimes et rassurer par là ses alliés, le second visant au contraire à éliminer d'Europe les forces offensives implantées à proximité de la ligne de partage des blocs, et à obtenir la suppression des forces d'intervention rapide. George Bush ne m'avait pas trompé : les deux hommes s'étaient rencontrés pour mieux se connaître et n'attendaient rien de plus pour l'instant. Leur disposition d'esprit et la logique des événements les conduiraient, sans nul doute, à s'entendre un jour. Mais la pire faute eût été de gâcher le temps en prétendant le devancer. Bref, l'Europe, qui avait craint d'être à nouveau l'enjeu d'un marché, n'avait pas à s'inquiéter. Les deux grands pensaient à autre chose.

Le ton de mon interlocuteur durcit quand nous entrâmes dans le vif du sujet, c'est-à-dire l'unité allemande. « Le plan en dix points [de Kohl] est totalement inacceptable. Le troisième point a l'allure d'un diktat », me dit-il. Roland Dumas devait me rapporter peu après qu'Édouard Chevarnadzé avait été plus sévère encore au cours de l'entretien qu'ils avaient eu dans un salon voisin. Les formules d'Helmut Kohl qui avaient le plus choqué Chevarnadzé étaient celles où il évoquait « des changements radicaux et irréversibles du régime économique et social en République démocratique, la réforme de la Constitution, la fin du monopole du parti au pouvoir ». Élargissant leur critique, les deux hommes d'État soviétiques accusaient le plan du Chancelier de remettre « en cause vingt ans de politique ». Exagéraient-ils leur pensée ? Tout en soulignant qu'ils ne le soupçonnaient pas « d'esprit revanchard », ils discernaient dans ses propos une menace pour la paix, et ils interrogeaient : « Quelles garanties l'Union soviétique a-t-elle que la république fédérale d'Allemagne ne tiendra pas le même langage pour l'Autriche ou la Pologne ? » Ou : « Après la réunification, n'y aura-t-il pas la Silésie, Königsberg, etc. ? » Mikhaïl Gorbatchev développa plus diplomatiquement ce thème lors de la conférence de presse qui suivit. Il réitéra son leitmotiv : « Nous avons affaire à deux États allemands qui sont souverains et membres des Nations unies » – ce qui signifiait que leur statut ne relevait pas d'un discours du Chancelier ou de la volonté unilatérale de la République fédérale – et lança cet avertissement : « Les changements qui sont en cours à l'intérieur de notre société ne modifient en rien les principes et le processus d'Helsinki et il ne serait pas bon d'oublier cette réalité. » « Évidemment, ajouta-t-il, il y a des problèmes en suspens, notamment celui de la réunification, mais il faut s'en tenir à la réalité, à la rétrospective historique de notre continent. » Et de conclure par ces mots : « Je ne crois pas que ceci soit aujourd'hui une question d'actualité. » Tout cela prononcé sur un ton passionné de plaidoirie qu'adoucissaient deçà delà un sourire ou une inflexion de voix apaisante. J'essayai en l'écoutant d'interpréter sa pensée. Il ne pouvait arrêter le cours des événements par un simple « *niet* », comme, naguère, ses prédécesseurs. Il pouvait, en revanche, espérer le retarder, parier sur les lenteurs diplomatiques, gagner un an ou deux et réaliser d'ici là les réformes qui lui fourniraient, ainsi qu'aux dirigeants est-allemands, l'alibi de la démocratie, seul moyen de rallier une partie de la population à l'idée d'un État indépendant durable, et de convaincre les alliés occidentaux de maintenir le vieil équilibre dont ils avaient, l'Allemagne absente, tiré le plus grand profit. Mais il me paraissait pris de court. Ayant à mener de front la perestroïka et le réaménagement des structures de l'Union, il se savait à la merci du moindre accident de terrain. Tout reposait sur son autorité, son prestige. Qu'à l'instar des pays baltes d'autres républiques fissent sécession, que la République démocratique s'éloignât pour se fondre dans le bloc occidental, qu'adviendrait-il de son pouvoir ? Mais là n'était pas l'essentiel. J'ai toujours vu en Mikhaïl Gorbatchev un patriote dominé par l'ambition de sauvegarder l'héritage, celui de Staline, celui de Pierre le Grand, tel qu'il lui avait été transmis. Attaché à l'idéologie léniniste, mais pas au-delà de ce que l'expérience et les faits lui avaient enseigné, prêt à sacrifier les dogmes dont il mesurait de jour en jour la vanité, je constatais chez lui une extrême susceptibilité dès qu'était en cause la survie de l'Union. Nous en parlâmes ce soir-là en visitant plusieurs des plus beaux monuments de Kiev, la ville aux quatre cents églises (beaucoup avaient disparu depuis la révolution). Il vibrait de fierté. Mais avant le dîner, il m'avait décrit les difficultés qui l'opposaient aux nouveaux dirigeants du parti communiste ukrainien, ceux que j'allais rencontrer au repas, et avait insisté sur l'enjeu historique que représentaient, à ses yeux, le choc entre les nationalismes locaux, réveillés de toutes parts, et sa propre conception de l'empire. Il se montrait optimiste sur l'issue du conflit. « Aucune des républiques ne peut se passer des autres, disait-il. Elles sont trop imbriquées dans l'Union, et même si le lien idéologique se rompait, demeureraient une tradition et des intérêts plus puissants que le rêve séparatiste. » Il en avait beaucoup discuté avec ses partenaires du Kazakhstan, de Biélorussie, d'Ukraine, de Géorgie, tous dignitaires de la nomenklatura, également engagés dans le système et qui avaient vécu, comme lui, les péripéties et les compétitions des règnes précédents, Khrouchtchev, Brejnev, Andropov. Ils avaient un langage commun, et conservé des camaraderies. Mais jusqu'à quel point ? Il me cita certains d'entre eux qui s'étaient distingués par leur rigorisme théorique et qui, enseignant dans les écoles du Parti, s'étaient comportés, récemment encore, en sectaires de la plus pure orthodoxie et « les voilà, maintenant, plaisanta-t-il, qui essaient de se refaire une virginité en affichant la distance qu'ils ont prise avec Moscou ». « Cela ne m'étonne pas, répétait-il. Les hommes sont les hommes. Mais je persévère, car je reste persuadé que tous préféreront, en fin de compte, participer à la reconstruction d'un vaste ensemble cohérent et comptant dans la conduite des affaires du monde, plutôt que de s'isoler en se coupant d'un grand passé et en se privant d'avenir. » Il avait donc l'intention de leur soumettre un pacte d'union à base fédérale qui supposerait de fortes structures, une politique étrangère et de défense, des objectifs communs. Comme je lui objectai que cette tentative avait déjà achoppé, qu'aucune de ses initiatives n'avait pu aboutir, il me rétorqua qu'il présenterait incessamment un plan mieux adapté et que le bon sens finirait par l'emporter. Et il revenait sur ce qu'il appelait la précipitation, le manque de réalisme des pays baltes qui risquaient de brouiller l'épure. « J'ai besoin de six mois, me certifiait-il. Je ne refuse pas le moins du monde que ces pays affirment leur autonomie. Ils ne tarderont pas à le regretter et nous les verrons revenir à nous. Leur économie est entièrement soumise à la nôtre et leurs velléités d'indépendance ne pourront rien contre cette évidence. Mais ils veulent aller trop vite et risquent de provoquer au sein de l'Union et ailleurs un sauve-qui-peut général qui serait irréversible. D'ici peu – et il martelait ses phrases en fixant mon regard –, j'aurai l'accord des principales républiques sur un schéma constitutionnel qui conciliera les tendances contraires et j'offrirai un modèle d'évolution démocratique qui répondra à l'attente des peuples. Sinon, tout craquera et je ne suis pas sûr que, si la catastrophe s'abat sur nous, le reste de l'Europe en sera épargné. »

J'ai eu à cette époque bien d'autres entretiens – confidences avec celui dont on dira plus tard qu'il fut pour ce temps-là un vrai porteur d'Histoire. Il négociait la faiblesse de sa position avec une énergie farouche et dépensait des trésors de souplesse pour marquer sa fermeté. Je ne pense pas qu'il s'illusionnait sur l'effet de sa raideur à l'égard de l'unité allemande. Il avait autant besoin de l'Allemagne que l'Allemagne de lui, ce qui laissait présager le compromis final. Mais se découvrir avant l'heure aurait dissipé des atouts dont il devait user avec parcimonie, tant ils étaient fragiles. Au moins possédait-il un pouvoir de blocage dont il jouait au mieux de ses intérêts. Et l'intérêt présent était de ne rien céder, au besoin d'agiter d'obscures menaces, pour que tout se déroulât selon l'ordre souhaité : d'abord sauver l'Union, ensuite concéder à l'Occident ce qui était déjà perdu.

Les journalistes qui participaient à la conférence de presse attendaient avec curiosité mes propres déclarations. On avait décrété, dans quelques rédactions, que j'étais venu à Kiev dans l'intention de freiner l'unité allemande et de m'appuyer pour cela sur Moscou. Parlant après Gorbatchev selon l'usage, puisque j'étais chez lui, je mis tout de suite les choses au clair et commençai par ces mots : « Je rappelle que la France est l'amie et l'alliée de l'Allemagne fédérale. Les dispositions de cette alliance ont été fixées par le traité de l'Élysée signé par le général de Gaulle et le Chancelier Adenauer en 1963. J'ai tiré de ce texte, vingt ans plus tard, avec le Chancelier Kohl, les conséquences militaires que mes prédécesseurs avaient laissées en jachère, ce qui a permis de créer la première unité franco-allemande, amorce de la future armée européenne. La France, amie de l'Allemagne fédérale, ne peut pas être indifférente à ce qui touche le peuple allemand. Elle a été elle-même divisée il n'y a pas si longtemps, et ma génération a vécu ce drame. Comment ne pas comprendre les sentiments et les aspirations de ceux qui le vivent à leur tour ? » Et j'insistai de nouveau – cela tournait à l'antienne – sur les conditions à réunir pour rendre possible l'unité allemande. Démarche démocratique d'une part : d'où l'évolution nécessaire des institutions et des pratiques, avec au bout du compte accès à l'expression libre de la volonté populaire en République démocratique. Démarche pacifique d'autre part : d'où l'urgence de garantir les frontières existantes.

Sur ce dernier point subsistait une ambiguïté. Le rappel des principes d'Helsinki donnait formellement raison à la thèse de Mikhaïl Gorbatchev. La souveraineté des deux États allemands et les droits qui en découlaient étaient en effet garantis par les accords de la CSCE dont nous étions signataires. Le gouvernement de la République démocratique pouvait s'en prévaloir au même titre que la République fédérale. Et son protecteur soviétique tout autant. En revanche, la distinction que j'établissais dans chacune de mes déclarations et de mes conversations avec les chefs d'État et de gouvernement entre les frontières européennes traditionnelles et la frontière interallemande, si elle avait pour elle la force de l'Histoire, n'avait pas la force du droit. Au demeurant, la notion de frontières traditionnelles dans notre Europe instable reste floue et ne repose que sur quelques habitudes de pensée. Les traités de paix ont toujours été imposés par les vainqueurs avant que ceux-ci soient à leur tour vaincus et victimes de l'arbitraire qu'ils exerçaient auparavant. Le droit international est un droit vagabond. Mais il faut bien une règle du jeu. Qu'à Helsinki deux blocs militaires rivaux, à la merci, pendant quarante-cinq ans, du déclenchement d'un conflit latent – la guerre froide –, eussent pacifiquement fixé cette règle marquait un tel progrès que la remettre en cause eût été insensé. Dès lors, pourquoi les deux Allemagnes en auraient-elles été exceptées ? Je m'en suis assez expliqué ici pour ne plus y revenir. On ne peut fonder le respect du droit sur les seuls décrets du hasard, sur le va-et-vient des occupations militaires. La réalité s'impose, en fin de compte, aux aléas de l'Histoire. Le peuple allemand de la République démocratique le démontrait sous nos yeux. Je faisais confiance à son instinct. Il avait de lui-même et de son sort une idée plus juste que les légistes internationaux. Bien entendu, Gorbatchev ne souscrivait pas à cette explication. Mais il la comprenait. Il n'excluait pas l'unification du champ des possibles. Cela suffisait à la rendre probable. Ne l'avait-il pas implicitement admise en signant le traité de Moscou qui, en dépit du flou du langage (« oui à l'unification des deux Allemagnes si les conditions sont mûres ») avait ouvert la voie ? Nous n'étions qu'au début d'une négociation qui s'annonçait ardue. Le contraire eût été surprenant. D'autant plus que des considérations pratiques fort importantes alourdissaient le débat politique : cinq cent mille soldats soviétiques stationnaient en Allemagne de l'Est, et le moindre incident avec la population pouvait entraîner d'incalculables conséquences.

J'avais désiré m'entretenir avec Mikhaïl Gorbatchev essentiellement pour parler de l'Allemagne. Ici et là, on s'en est étonné, que dis-je, on s'en est scandalisé. Je n'en ai jamais fait mystère. Je considérais ce dialogue, sur ce sujet, comme un impératif de la politique extérieure française. Même si la dictature communiste et la brutalité de Staline avaient ancré la France dans le

choix de l'alliance à l'Ouest et de la construction européenne, c'eût été une faute grave contre l'Histoire que
de fermer notre porte sur l'Est et de rayer la Russie de
notre géographie, tentation à laquelle ont succombé,
par anticommunisme, beaucoup d'hommes politiques.
Encore fallait-il parler clair. Ce que Gorbatchev et moi
avons fait. L'unité allemande posait à ses deux principaux voisins continentaux des problèmes de même
nature en dépit des contradictions apparemment irré-
ductibles de leur démarche antérieure. Ici on avait
choisi la réconciliation puis l'amitié, là on continuait
de verrouiller le changement. Mais qui pouvait douter
du tour que prenaient les événements ? Au cours des
siècles, jamais cette leçon n'a été démentie : la bonne
entente de la Russie et de la France constitue l'une des
données majeures de l'équilibre européen. Les difficultés du moment en Europe rendaient cette démons-
tration d'autant plus nécessaire. Mais la journée s'achevait. Gorbatchev avait invité à dîner, outre Roland
Dumas et moi, quatre dirigeants du parti communiste
ukrainien. Quand nous prîmes congé, ces derniers
m'offrirent cérémonieusement un cadeau, imposante
pièce de faïence figurant un grenadier cosaque de belle
taille et me dirent : « Les soldats ukrainiens n'ont
jamais quitté un champ de bataille sans y revenir un
jour. » Et ils rirent de bon cœur.

Une semaine avant la réunion du Conseil de Strasbourg, je reçus de Roland Dumas une note de synthèse sur l'attitude des différents pays européens face à la réunification. Il m'était signalé qu'en Europe de l'Est on était en proie à de fortes inquiétudes. C'était le cas, non seulement de l'Union soviétique, mais aussi de la Pologne où l'on s'alarmait au sujet de la frontière Oder-Neisse, et de la Tchécoslovaquie où le *Rude Pravo,* journal officiel, estimait que les propositions d'Helmut Kohl étaient « en désaccord avec la réalité ». La Hongrie, d'un ton plus mesuré, admettait que « la réunification allemande procédait d'un désir naturel » mais « que les conditions n'en pourraient être créées rapidement ». La prudence continuait d'inspirer la plupart des chancelleries occidentales. Aux Pays-Bas, le ministre des Affaires étrangères, M. Van Den Broeck, remarquait que « la réunification n'était pas un but en soi » mais épouserait les évolutions du rapprochement entre l'Est et l'Ouest. Pour Felipe Gonzáles il n'y avait pas lieu « de modifier le statut politique actuel mais d'aller vers un schéma plus

fluide de communication entre les deux Allemagnes ».
Giulio Andreotti, Premier ministre italien, signait une
déclaration conjointe avec Mikhaïl Gorbatchev où il
était dit que « les deux parties étaient convaincues que
la situation d'équilibre sur laquelle se basait la sécurité
du continent européen devait être préservée ». À
Lisbonne, à Athènes, les préoccupations étaient d'un
autre ordre. On souhaitait tout bonnement ne pas faire
les frais d'un éventuel « détournement » des aides
communautaires vers la République démocratique et
d'autres pays de l'Est. La réaction des capitales scandinaves exprimait un souci similaire : que les relations
entre la Communauté européenne et l'Association des
pays pour une zone de libre-échange ne pâtissent pas du
« glissement » communautaire vers l'Est. Enfin, comme
d'habitude, Margaret Thatcher marquait sa différence et
réitérait à qui voulait l'entendre que la réunification
« n'était pas un problème actuel ». Hans-Dietrich
Genscher, l'inamovible ministre des Affaires étrangères
de la République fédérale, en visite à Londres, n'en avait
pas appris davantage.

J'adressai, sur ces entrefaites, une lettre datée du
5 décembre aux chefs d'État et de gouvernement, où
je fixais l'ordre du jour du Conseil. D'une part je pré-
voyais que la discussion porterait sur l'application de
l'Acte unique, l'union économique et monétaire, la
charte sociale et l'aide économique aux pays de l'Est,
d'autre part j'esquissais un projet de déclaration où
seraient marqués :
1. la satisfaction des Douze devant les changements
qui annonçaient la fin de la division de l'Europe entre
les systèmes dominants ;

2. le soutien de la Communauté aux pays entrés dans la voie démocratique ;

3. le rôle des Douze comme pôle de référence et de rayonnement de la future unité européenne.

À ce texte que j'avais communiqué à mes partenaires deux réserves avaient été opposées, l'une par les Britanniques qui excluaient la référence à l'union européenne et l'autre par les Allemands qui demandaient l'inclusion d'une phrase de soutien explicite à l'unité allemande. Les directeurs politiques, collaborateurs des ministres des Affaires étrangères, qui avaient coutume de comparer leurs vues avant l'ouverture des sommets, avaient, de leur côté, jugé difficile de mentionner la réunification sans prendre position sur les frontières occidentales de la Pologne.

La conférence s'ouvrit le 7 décembre dans un climat tendu. Le Chancelier Kohl, si prudent qu'ait été son langage, voulait, comme il me l'avait annoncé dans sa lettre de l'avant-veille, que fût explicitement confirmée la vocation de l'Allemagne à l'unité. Margaret Thatcher s'obstinait à ne pas mettre, selon son expression, la main dans l'engrenage et multipliait les conditions préalables à tout ce qui pouvait ressembler à un engagement. Roland Dumas et moi nous en tenions à notre volonté de lier la perspective d'unification à la reconnaissance formelle des frontières extérieures de l'Allemagne. Plus facile était l'accord général sur la concordance entre l'unité allemande et l'unité européenne. La formule préparée par les représentants de la République fédérale fut âprement discutée et finalement modifiée. Le paragraphe retenu fit état de « plusieurs conditions dont le respect des traités et de tous les principes de l'acte final d'Helsinki ».

L'établissement de relations diplomatiques entre la France et l'Allemagne de l'Est remonte au 9 février 1973, Erich Honecker étant président de la République démocratique allemande et Georges Pompidou, président de la République française. Il fallut attendre six ans pour qu'un membre du gouvernement français, M. François-Poncet, se rendît à Berlin-Est. Les échanges politiques s'intensifièrent à partir de 1983 après que le ministre est-allemand des Affaires étrangères, M. Oskar Fischer, fut venu à l'Élysée me parler du désarmement. Démarche à laquelle répondit celle de Claude Cheysson inaugurant à Berlin notre Cercle culturel. Les autorités est-allemandes me firent alors savoir qu'elles désiraient un courant de relations plus important avec la France et au plus haut niveau. Pour donner corps à ces intentions, Laurent Fabius, alors Premier ministre, accomplit en 1985 un voyage officiel en République démocratique. Deux ans passèrent et M. Fischer, de nouveau à Paris, me remit un message d'Erich Honecker, toujours consacré au désarmement et à la sécurité. Ce message, tout en reflétant les thèses soviétiques, exposait les préoccupations propres à la République démocratique dont le territoire, en cas de conflit, aurait été particulièrement exposé. J'observai par lettre en retour qu'au moment où les États-Unis d'Amérique et l'Union soviétique négociaient à Genève des accords de désarmement qui engageaient l'avenir de l'Europe il me paraissait utile et normal que les Européens discutent entre eux des intérêts de leur continent, et je le conviai à venir en France dans le courant de l'année 1987. J'avais, en effet, à diverses reprises, exprimé ce vœu mais sans le préciser. Le moment me semblait propice. Depuis 1985, Erich Honecker multipliait ses voyages en Europe de l'Ouest. Il avait commencé par l'Italie pour rencontrer le président du Conseil Bettino Craxi et, au Vatican, le pape Jean-Paul II. Puis il s'était rendu en Grèce, en Suède, aux Pays-Bas, tandis qu'à la suite de Laurent Fabius plusieurs personnalités de la Communauté européenne, le Premier ministre belge, Willy Martens, et M. Sarzetakis, président de la République hellénique, avaient précédé, à Berlin, le Chancelier d'Autriche et le Premier ministre suédois.

Plus significative avait été la visite de M. Honecker en République fédérale. Le Chancelier Kohl lui avait proposé, le 15 mars 1987, une entrevue à Berlin-Ouest pour le 30 avril suivant. Mais, tenu par le veto soviétique qui, depuis 1981, empêchait la République démocratique d'amorcer tout rapprochement entre les deux Allemagnes, veto lié à l'affaire des euromissiles et qui l'avait déjà contraint à éluder une invitation d'Helmut Schmidt, Honecker avait refusé. Léger

contretemps. Devenus plus accommodants, les dirigeants russes avaient levé peu après l'interdit, et le chef
d'État est-allemand avait pu venir en République fédérale du 7 au 11 septembre pour un voyage officiel qui
l'avait conduit de Bonn à Düsseldorf, Essen,
Sarrebruck, Trèves, Munich, Dachau et Neunkirchen.
Ce voyage « historique » avait été considéré de part et
d'autre comme un succès, et l'on s'était dépensé en
paroles courtoises et parfois chaleureuses. L'émotion
avait été grande quand Honecker avait déclaré que « la
frontière entre la république fédérale d'Allemagne et la
République démocratique allemande pourrait un jour
unir au lieu de séparer » les Allemands. Le ton des
discours, l'évidente bonne volonté des protagonistes,
avaient souligné une évolution qu'ici et là on avait
jugée prometteuse.

J'avais, de mon côté, informé le Chancelier, dès le
mois de juin, de l'initiative que je comptais prendre à
l'égard de la République démocratique. Il m'avait
remercié du souci que j'avais eu de le consulter et
n'avait élevé aucune objection de principe. Plus, lors
d'une conversation particulière, il en avait souligné
l'utilité. Ce n'était pas notre premier entretien à ce
sujet. Nous en avions parlé en mars, au château de
Chambord, ainsi qu'à Berlin, en mai, lors du sept cent
cinquantième anniversaire de la ville. À Évian, le
1er juin 1988, Helmut Kohl m'avait communiqué ses
impressions ramenées d'un récent voyage privé en
République démocratique. Bref, le climat dans lequel
s'était déroulée la rencontre des deux dirigeants allemands en République fédérale facilita la mise au point
du séjour d'Erich Honecker en France. Il fut entendu

que ce dernier effectuerait une visite d'État du 7 au 9 janvier 1988 ; calendrier qui fut respecté.

Je l'ai dit plus haut, la France était en ce début d'année 1988 le septième pays occidental à accueillir le chef de l'État est-allemand. Mais c'était la première fois qu'il s'agissait de l'une des quatre puissances exerçant des droits et des responsabilités sur Berlin et pour l'Allemagne dans son ensemble. La veille de l'arrivée d'Erich Honecker à Paris, j'avais tracé à la télévision de la République démocratique les grandes lignes de ce que j'attendais de cette visite : « Soyons clairs. Nous, Français, avons nos amis, nous avons nos alliés, qui appartiennent à la même communauté que nous, en particulier la république fédérale d'Allemagne, mais je veux qu'on ouvre les portes et non pas qu'on les ferme. » De même, lors du dîner d'État du 7 janvier, j'insistai sur l'esprit de liberté qui inspirait depuis bientôt deux siècles notre conception de la démocratie pluraliste et des droits de l'Homme et du citoyen. « Puisse cet esprit, avais-je dit, redevenir le bien commun de toute l'Europe ! Comment imaginer que les Européens s'accordent sur la paix s'ils se séparent sur la liberté ? », puis me tournant vers mon hôte : « Nous mesurons le poids des réalités et l'effort à faire pour sortir des vieilles ornières. Sachons saisir les chances que nous offre notre temps ou bien sachons les provoquer quand elles tardent à se présenter. Croyez-moi, nous y sommes prêts. » Nous eûmes à Paris plusieurs conversations d'un réel intérêt, marquées par la franchise plus que par la chaleur. Honecker n'était pas un personnage indifférent. Ce Sarrois, sec et froid, qui incarnait l'intransigeance du communisme militant de l'Allemagne soviétisée, devait jusqu'au bout se réclamer du système qui s'écroulait autour de lui, et tenir tête à Gorbatchev quand l'heure serait venue de constater l'irrémédiable. Mais il avait de la finesse, une vraie culture historique en même temps qu'un ton juste lorsqu'il évoquait les combats de sa jeunesse contre le nazisme. On pouvait oublier un moment qu'il était devenu, lui aussi, le maître d'un autre régime totalitaire.

En dépit du projet, que nous avions formé pendant son séjour en France, d'une visite d'État que j'effectuerais à mon tour à Berlin, les choses restèrent en suspens de la mi-janvier 1988 au 6 octobre 1989, soit pendant vingt mois. Ce 6 octobre en effet, jour de la fête nationale de la République démocratique, je lui adressai les vœux classiques qu'impliquait une telle circonstance, et l'on reparla du voyage. Les événements allant de plus en plus vite au sein du monde communiste et particulièrement en République démocratique, je ne m'étonnai pas des tâtonnements d'Honecker. D'autant moins qu'à Berlin se mit en mouvement jusqu'au 16 décembre un ballet politique propre à donner le tournis. Honecker quitta le pouvoir le 24 octobre. Egon Krenz le remplaça sur l'heure. Le 15 novembre, le maire de Dresde, Hans Modrow, considéré comme novateur, était nommé à la tête du gouvernement. Le 6 décembre, Egon Krenz démissionnait. L'intérim de la présidence de l'État et du Conseil national de Défense fut confié, pour la forme, à Manfred Gerlach, un professeur d'économie, compagnon de route du parti communiste. Modrow conservait ses fonctions de Premier ministre et la réalité des pouvoirs. L'invitation au voyage épousait le cours de ces tribulations. Le

2 novembre, Honecker m'avait fait connaître son « souhait mais aussi sa certitude de voir se poursuivre le dialogue politique avec son successeur et ceci de manière confiante et au profit de nos États et de nos peuples au service de la paix ». Je confirmai donc mon acceptation... à Egon Krenz. Un communiqué de l'Élysée en publia la date : du 20 au 22 décembre. Mais Egon Krenz, à son tour, partit. Cinq jours plus tard, Hans Modrow m'écrivit : « Je suis certain que le programme de renouveau du gouvernement de coalition imprimera des impulsions aussi à la création de relations d'une qualité nouvelle avec la République française. C'est dans cet esprit que je me réjouis d'avance de votre visite en République démocratique. » Il restait à l'organiser.

J'arrivai à Berlin, comme prévu, le 20 décembre ; l'opportunité de mon voyage, à cette date, fut vivement contestée par une partie de la presse allemande et, à sa suite, par la presse française. Une dépêche de l'envoyé spécial de l'Agence France-Presse à Bonn signala que « les Allemands de l'Ouest craignaient que Mitterrand ne freinât la réunification ». Le *Bildzeitung* se demanda si je ne faisais pas un « coup dans le dos du Chancelier » et si je n'avais pas recherché le concours du Président Bush pour une « conjuration antiréunification ». Une émission de télévision programmée le 21 décembre distinguait le peuple français pour qui « l'unification allemande allait de soi » et les responsables politiques « obsédés par l'émergence d'une Allemagne réunifiée qui ferait perdre à la France sa puissance ». *Die Zeit* me comparait à Metternich en me prêtant l'idée d'« une alliance de revers avec Moscou face à l'Allemagne ». C'est de là que partit la campagne dont j'ai déjà parlé, et dont j'aperçois encore les effets, selon laquelle j'aurais été hostile à la réunification. Engagé comme je l'étais dans la construction de l'Europe, en étroite liaison avec les dirigeants allemands et dans un climat de confiance avec le Chancelier, je vis réapparaître, avec quelque surprise, les soupçons, l'animosité tenace, profonde et peut-être indélébile de certains « faiseurs d'opinion » allemands à l'égard de la France, expression probable d'une rancune pour avoir payé cher le prix du nazisme et qui ne pardonnaient pas au vaincu de 1940 de compter parmi les vainqueurs de 1945. Mon voyage en République démocratique, après mon rendez-vous de Kiev avec Gorbatchev, fournissait les principales pièces à charge du procès. La chancellerie elle-même s'émut de ma venue prochaine à Berlin, Helmut Kohl risquant d'être devancé, dans son désir légitime d'être, le Mur détruit, le premier dirigeant occidental à se rendre en Allemagne de l'Est.

J'ai rappelé plus haut que j'avais moi-même prévenu le Chancelier de l'invitation prochaine d'Honecker. Mais la réalisation tardive de ce projet et la bousculade d'événements qui s'étaient produits entre-temps en avaient changé les données. Je maintins cependant mon programme, curieux de connaître ce pays où une part du destin de l'Europe se jouait. Le sort de l'unité allemande n'étant pas encore scellé, je souhaitais que la France y fût présente et y exerçât ses droits de la façon qui lui convenait. Finalement, Helmut Kohl put déplacer ses rendez-vous et me précéder de vingt-quatre heures. Ses entretiens avec Hans Modrow, à Dresde, permirent aux deux leaders allemands de tomber d'accord sur des « relations de bon voisinage », sur le « respect absolu des principes et des normes du droit international » et sur leur volonté « de réaliser la communauté contractuelle dans les relations entre la République démocratique allemande et la république fédérale d'Allemagne ». L'ordre des choses rétabli, tout le monde s'en trouva bien.

L'instabilité et la fébrilité du pouvoir en Allemagne de l'Est en ce dernier trimestre de l'année 1989, qui contrastaient du tout au tout avec la pesante fixité précédente, traduisaient l'état d'une opinion, encore sous le choc de la chute du Mur, et qui, pressée dans sa majorité d'en finir avec le système en place, demeurait incertaine sur les choix à faire. Cinq semaines après son éviction de la présidence, Honecker était exclu du Parti, et l'ensemble de la direction du Sozialistische Einheitspartei Deutschlands (SED) démissionnait. L'avant-veille, 1er décembre, la chambre du Peuple avait amendé la constitution et supprimé le rôle dirigeant du SED. Le 8 décembre, d'anciens responsables, parmi lesquels Erick Honecker et Willi Stoph, étaient inculpés pour abus de pouvoir, détournement de fonds publics et corruption. En congrès extraordinaire, le SED changea de sigle, et sous la conduite de son nouveau président, Gregor Gysi, se transforma en Parti du socialisme démocratique (PDS). Ces bouleversements à la tête de l'appareil politique, qui suivaient avec un

décalage de quelques jours les agitations de la rue, don-
nèrent de nouveaux aliments à la protestation. Une
manifestation qui avait eu lieu à Leipzig le
20 novembre avait réuni plus de deux cent mille personnes. Dans cette ville devenue capitale de la révolte,
ce qu'on pourrait appeler le parti du refus grossissait
de jour en jour. Il n'employait pas la violence que le
pouvoir tentait également d'éviter en multipliant les
gages de bonne volonté, mises en accusation des
anciens responsables, dissolution de la police politique
(la STASI) et, même, évocation feutrée de la réunification. En réalité, Modrow, Gysi et les nouvelles
équipes naviguaient au plus juste mais n'entendaient
pas renoncer à l'identité est-allemande. Je savais qu'ils
attendaient de ma visite qu'elle apportât une caution
solennelle au statut d'État souverain et indépendant de
la République démocratique. Édith Cresson m'avait
confirmé cette disposition d'esprit dans une note où
étaient rapportés ces propos de M. Gerhardt Beil,
ministre du Commerce extérieur de la République
démocratique : « Je vous en prie, que votre Président,
le 22 décembre, négocie, agisse, s'exprime, conclue en
mettant en évidence qu'il négocie, agit, s'exprime,
conclut avec la République démocratique allemande
souveraine. Toute la République démocratique, y
compris notre opposition, attend de votre Président
cette mise en exergue de notre souveraineté. » Je pus
vérifier l'exactitude de cette assertion : l'opposition
organisée (Nouveau Forum, Demokratischer Aufbruch
et SPD) et la plupart des intellectuels rejoignaient le
gouvernement sur ce point, à l'encontre de la majorité
de la population (de la moitié aux deux tiers selon les

sondages), et particulièrement des jeunes. Avec des nuances, cependant, soixante-sept pour cent appelant de leurs vœux un « socialisme à visage humain » et trente-trois pour cent préférant le modèle ouest-allemand. C'est de cette ambiguïté qu'Hans Modrow essayait de tirer le meilleur parti avec sa formule de « communauté contractuelle » entre les deux Allemagnes qui empêcherait, espérait-il, « la réunification par le bas ».

Dans les deux villes étapes de mon voyage, Berlin et Leipzig, mes interventions publiques furent consacrées aux mêmes thèmes ; le premier jour lors du dîner officiel, avec le toast que je portai au président du Conseil d'État et à la nomenklatura est-allemande, puis dans mes débats avec les journalistes de la télévision est-allemande, avec les étudiants, intellectuels et artistes de l'université Karl-Marx de Leipzig, avec la communauté française de Berlin − enfin de nouveau avec les journalistes, le dernier jour pour la conférence de presse. Devant les étudiants de Leipzig je définis les positions de la France sur l'unité allemande, la question des frontières et le rôle de la Communauté européenne, tous sujets sur lesquels − mes lecteurs l'ont constaté − je m'étais abondamment exprimé au long des mois précédents et sur lesquels je devais revenir sans cesse au cours des mois suivants. Une telle anxiété occupait l'esprit de mes interlocuteurs allemands que je m'appliquai à multiplier les explications, sans craindre les redites, quitte à lasser la presse qui, me suivant partout, guettait à chaque détour de phrase l'intonation, le mot, la formule qui justifieraient le procès d'intention. Mais rien ne sert à rien quand l'acte d'accusation est dressé avant l'examen des faits.

Une foule considérable d'étudiants m'attendait à l'université, formant sur le parcours une haie compacte. J'eus de la peine à me frayer un passage entre les rangs serrés d'un public animé et accueillant. La montée des escaliers, dans la bousculade générale, relevait de l'exploit. Mais tout se passa dans la bonne humeur. Lorsque le recteur prononça son allocution de bienvenue, je remarquai que l'amphithéâtre, trop petit, était assiégé par les étudiants désireux d'entrer. Je les invitai à le faire, quitte à s'asseoir dans les travées et sur l'estrade, devant, derrière et sur les côtés de la table qui servait de tribune. Tout le monde s'empila, ne laissant libre aucun espace. Ils furent des centaines à rester au-dehors, accrochés aux fenêtres ou entassés dans les couloirs voisins, refusant de battre en retraite. Je relate ces détails pour que l'on comprenne à quel point la jeunesse de cette Allemagne isolée jusqu'alors était avide d'approcher quiconque provenait de cet Ouest à la fois redouté et fabuleux qu'elle ne connaissait que par les images télévisées de la République fédérale. J'avais, avant Leipzig, pris part à des débats de ce type avec les étudiants de deux pays sous tutelle soviétique, la Tchécoslovaquie, à Bratislava, et la Bulgarie, à Sofia. À Bratislava, sur le millier d'auditeurs d'une salle pleine, un conseiller de notre ambassade m'avait averti qu'on ne comptait guère plus de quinze à vingt étudiants, le reste étant fourni par les fonctionnaires du régime. J'avais, du coup, mesuré mes efforts. À Sofia, en revanche, on sentait sourdre la contestation. Mes interlocuteurs avaient affiché une désinvolture insolente à l'égard des hiérarques rangés derrière moi. Pas une voix à la louange du Président Jivkov et du gouvernement ne s'était fait entendre. On se disputait la parole dans un désordre qui me rappelait les habitudes françaises. J'avais perçu cette fronde comme un signe avant-coureur de la fin du système et admiré le courage des jeunes gens qui se désignaient de la sorte à l'attention d'une police réputée pour ses pratiques expéditives. À Leipzig, rien de tel. Il était visible que le débat avait été organisé par les responsables de l'université, dans le désir de le rendre clair et utile et non pour obéir à des consignes. On m'interrogea sur « ma propre histoire » de prisonnier de guerre à Schaala, en Thuringe, sur le voyage que j'avais entrepris quelques années plus tard, à partir de Rudolstadt, avec Willy Brandt pour suivre (en automobile) l'itinéraire de ma première évasion. Brandt et moi avions été reçus à cette occasion par le commissaire de Thuringe qui nous avait invités à déjeuner sans déroger en rien aux rites de l'univers soviétique. Les étudiants s'amusèrent de la relation que je leur fis du toast-langue de bois prononcé, au dessert, par le haut fonctionnaire préposé à notre accueil. Je l'avais interrogé sur les difficultés qu'il avait rencontrées s'il s'en était produit, et sur les échecs de la planification, mais il ne voyait rien, non, absolument rien, qui clochât et qui pût justifier la moindre réserve sur la société édifiée sur la base des principes marxistes-léninistes. On discuta des idéologies du moment, fascisme, antifascisme, communisme. Personne n'évoqua le libéralisme. Quand on aborda l'éventualité de la réunification, je repris mon argument, dont le lecteur n'ignore plus rien : « L'unité des Allemands regarde avant tout les Allemands. Seules des élections libres, ouvertes, démocratiques permettraient de savoir ce que veulent les Allemands des deux côtés. Il faut d'abord passer par cette épreuve qui est une bonne épreuve, avant de décider. C'est aux Allemands de dire ce qu'ils veulent. » Par un réflexe de prudence ou simplement par incertitude, mes auditeurs ne s'attardèrent pas sur ce sujet, ce qui me surprit. Je n'interprétai pas cette discrétion – qui devait caractériser tous mes échanges de vue avec les Allemands de l'Est de cette époque – comme une marque de désintérêt pour l'avenir de l'Allemagne. Mais je pensai qu'il était dommage pour moi de n'en avoir pas su davantage. On parla des frontières. Je rappelai les clauses d'Helsinki, traité fondé sur l'immutabilité des frontières, dont j'exceptai le cas de l'Allemagne, pour la raison exposée plusieurs fois dans ce récit : « J'estime que la frontière entre les deux États allemands est d'une nature différente de celles qui existent ailleurs. »

On parla de l'Europe et je réaffirmai que le peuple allemand, à la veille de retrouver la maîtrise de son destin, devait tenir compte de l'équilibre européen, qu'il ne pouvait faire fi de cette réalité, d'une part l'Allemagne de l'Est, membre actif du pacte de Varsovie, avec des armées étrangères sur son sol, d'autre part l'Allemagne fédérale, membre de l'Alliance atlantique et de la Communauté européenne, et qu'il convenait, dans l'intérêt de tous, que progressent du même pas l'unité allemande et l'unité européenne. J'eus pour toute réponse des hochements de tête approbateurs. À l'évidence, les étudiants de Leipzig, tout en m'écoutant avec grande attention, ne se perdaient pas en conjectures sur leur avenir proche.

Les journalistes, présents à la conférence de presse du 22 décembre à Berlin, se montrèrent plus incisifs : cela m'aida à définir, peut-être plus clairement, ce que j'avais répété à l'envi dans chacune de mes interventions, et elles avaient été nombreuses depuis deux mois, on l'a vu. Que mes lecteurs me pardonnent si, sur ce chapitre, je tourne et retourne jusqu'à satiété la manivelle d'un moulin à prières. Qu'ils passent à la suite si cela les ennuie. Qu'ils prennent patience s'ils estiment qu'en telle matière aucun grain du chapelet n'est de trop. Mais, questionné sur la signification de la voie démocratique que je préconisais pour rendre possible l'unité, j'ajoutai quelques accents à mon discours habituel : « Les Allemands de l'Ouest et les Allemands de l'Est vont voter. Quand ils auront voté, ils auront des députés. Parmi ces députés, des majorités se dessineront, des gouvernements naîtront de ces majorités et ils seront porteurs de programmes, de messages. Si, des deux côtés, ce message, c'est " unification immédiate ", eh bien ! la voie démocratique aura été remplie... Unification ou pas, unification immédiate ou unification par étapes, communauté contractuelle dont parle M. Modrow ou formes fédératives dont a parlé le Chancelier Kohl. L'imagination est libre. Tout cela relève des Allemands [...]. Je ne suis pas de ceux qui freinent. Je dis que la volonté du peuple allemand s'exprime et qu'elle s'accomplisse ! »

Ces paroles décevaient sans doute l'attente des dirigeants de l'Est. Mais je n'étais pas venu pour plaire. Contrairement à Mikhaïl Gorbatchev et aux autorités de Berlin, je ne croyais pas à la pérennité de la division allemande et ne m'abritais pas derrière le dernier mur encore debout, celui des apparences, fondé sur le rapport de forces de 1945 entre des puissances qui, quarante-quatre ans plus tard, n'avaient plus le moyen de dicter leurs volontés à l'événement, plus fort, plus rapide qu'elles. L'Union soviétique hors jeu, l'unité allemande ne menaçait pas la paix. Mais j'avais l'obsession des permanences de l'Histoire. Toucher aux frontières extérieures de l'Allemagne réunifiée ou, plus simplement, laisser une question aussi grave dans le flou diplomatique hypothéqueraient sérieusement l'avenir de l'Europe. D'où ma volonté de voir les Allemands garantir leur frontière de l'Est. Je le dis aux journalistes : « Dès qu'il s'agit du statut de l'Europe, alors cela nous regarde [...]. C'est un sujet délicat qu'il faut traiter avec sérieux. Que les Allemands en aient une conscience claire : on ne peut pas jouer avec les frontières. Tel est le sens exact de la résolution adoptée à Strasbourg par l'Europe des douze, à l'unanimité, avec la signature de l'Allemagne de l'Ouest, résolution affirmant que l'unité allemande est parfaitement légitime et peut être désirable, mais qu'elle doit s'inscrire dans les règles et principes internationaux définis par cette résolution, par référence à Helsinki. »

Bien entendu, ces propos n'apaisèrent pas la polémique qui escortait, depuis novembre, ma politique allemande. Il en fallait davantage à mes détracteurs. Quoi ? Nul ne l'a su, nul ne l'a dit. Sinon que j'aurais dû accomplir un geste symbolique, qui vînt du cœur, pour atteindre au cœur les Allemands. L'argument me touchait. J'avais été tenté d'accompagner Helmut Kohl lors de sa première visite aux décombres du Mur. Il m'aurait plu d'être ce jour-là auprès de celui avec lequel j'avais si assidûment travaillé pour l'amitié franco-allemande et pour la construction de l'Europe. Le geste était facile. Mais j'avais aussi à tenir compte des autres partenaires de la France et des enjeux dont nous allions commencer la négociation. Enfin, malgré la joie que j'éprouvais à voir abattre la marque la plus sensible du déchirement européen, je pensais que la célébration appartenait en propre aux Allemands.

Au demeurant, qu'avais-je à prouver ? De l'époque lointaine, où, au sortir de la guerre, j'avais répondu, jeune député, à l'appel des « pères fondateurs » de la Communauté en participant au premier congrès européen de l'Histoire, réuni à La Haye, sous la présidence de Churchill – c'était en 1948 – jusqu'au rendez-vous de Verdun où Helmut Kohl et moi avions scellé, main dans la main, l'amitié de nos peuples, face au mémorial qui rappelle qu'en ce lieu se livra la plus grande bataille et la plus meurtrière d'une confrontation millénaire ; de la création du corps franco-allemand, embryon d'une armée commune, seul exemple jusqu'alors d'une intégration militaire entre États souverains – et, qui plus est, traditionnellement rivaux – à l'engagement pris, qui devait se concrétiser à Maastricht, d'instituer une politique, une monnaie et une défense communes entre l'Allemagne et la France, pierre angulaire d'une Communauté européenne de trois cent quarante millions d'habitants, rien n'avait démenti ma volonté de parfaire ce que je crois être l'une des plus audacieuses constructions historiques des temps modernes, non, je n'avais rien à prouver, et dédaignais de le faire.

La leçon la plus forte de ces journées, je la tirai des deux rendez-vous que j'eus avec les représentants de l'opposition, le premier à Leipzig, le 21 décembre, le second à Berlin, le lendemain matin. Le célèbre chef d'orchestre du Gewandhaus, Kurt Masur, et le pasteur Magirius, superintendant de l'église Saint-Nicolas, étaient les figures marquantes de la contestation à Leipzig. Kurt Masur m'accueillit au Gewandhaus avant de me convier à un déjeuner amical, dénué de tout formalisme, au restaurant du lieu, le Stadtpfeiffer, et de m'offrir, l'après-midi, un bref concert d'orgue dans le grand auditorium. À l'issue du concert, nous eûmes un entretien qui me laissa une vive impression. Je vis en lui l'un des hommes autour desquels les Allemands pourraient se rassembler. Mais, l'unité réalisée, il s'éloigna de la politique et quand je le rencontrai l'année suivante, à Paris, seule la musique l'occupait. Je n'oublie pas, en tout cas, la vision, le courage tranquille de ce démocrate dont le jugement sûr et la disponibilité d'esprit auraient pu servir son pays, au-delà de son art.

Je fis également la connaissance, au grand auditorium, du pasteur Magirius. Le superintendant de l'église Saint-Nicolas, en inspirant des formes d'action qui recouraient à la puissance des symboles et des valeurs spirituelles plutôt qu'à l'affrontement direct et inégal contre le régime, incarnait l'espérance de ses concitoyens. Lui aussi m'apparut comme un homme dirigé par les commandements de sa vie intérieure, animé par la certitude que la force d'âme ferait reculer la menace des balles. C'est autour de son église que s'était cristallisée la résistance de Leipzig. La petite flamme des bougies que couchait le moindre souffle d'air pour se relever aussitôt exprimait l'inépuisable capacité des faibles à vaincre le malheur. D'une église à l'autre, de Saint-Nicolas à Saint-Thomas, où nous attendait le pasteur Richter, je pus mesurer l'importance du rôle rempli par l'Église réformée dans la défense d'une civilisation qu'après Hitler le communisme avait prétendu réduire en cendres. Feu contre feu, la lueur des bougies illuminait la terre comme n'avait pu le faire l'incendie du Reichstag et montait plus haut vers le ciel que les flammes des autodafés. À Saint-Thomas les orgues entonnèrent un vieux chant religieux : *Es ist ein' Ros'* (« *Es ist ein' Ros' entsprungen, aus Jesse kam die Art* »), puis un extrait du *Weihnachtsoratorium* de Jean-Sébastien Bach dont le tombeau, précisément, occupe le centre de la nef. Dans le silence qui suivit, les circonstances que nous vivions créaient une étrange impression de paix et de pérennité comme s'il existait encore des lieux où les rumeurs et les fureurs d'un monde qui se brisait ne pénétraient pas. Au Gewandhaus, Kurl Masur et Friedrich Magirius m'avaient expliqué ce qui s'était passé lors de la grande manifestation du 9 octobre. Après les « Prières de Paix pour le renouvellement démocratique » organisées à Saint-Nicolas, soixante-dix mille personnes s'étaient réunies sur la place de l'église et le long du Ring. Le gouvernement Honecker, débordé, avait voulu donner l'ordre de tirer. Masur et Magirius, à la tête d'une petite délégation, avaient parlementé avec la direction de la SED et obtenu des manifestants qu'ils se rassemblent dans le calme. À partir de là, tous les lundis, les opposants, de plus en plus nombreux, s'étaient joints aux « Prières de Paix », jusqu'à atteindre le chiffre de cinq cent mille. Masur souligna que tout cela s'était déroulé de façon ordonnée, sans tumulte et toujours après 18 heures en ajoutant, dans un sourire : « Ils ont fait la révolution une fois par semaine, tous les lundis soir, après le bureau. »

Quant à leur analyse de la situation présente et à leurs prévisions, je notai surtout leur peu d'empressement pour l'unification. « Parmi les manifestants, dirent-ils, il n'y en a pas trois pour cent qui voteraient pour la SED aux élections du 6 mai (date fixée à ce moment-là, et qui devait être avancée en mars). C'est un parti décrié, encombrant, qui sera rejeté. Nous n'avons pas non plus confiance dans la Ost-CDU que soutient le gouvernement de la République fédérale et qui a pour tout programme l'exaltation du modèle ouest-allemand, mâtiné d'un fort accent nationaliste et populiste. Nous rêvons d'un mouvement *"geistig"*, c'est-à-dire intellectuel et spirituel. Nous répudions le communisme, sans nuance et sans compromis, et nous redoutons la tentation facile pour un peuple affamé, malheureux, d'une société matérialiste de consommation. Modrow est actuellement le moindre mal. Les élections du 6 mai détermineront le changement. »

Je retrouvai cette même réticence à l'égard de l'unité ou, du moins, d'une unité à marche forcée, chez mes interlocuteurs du petit déjeuner qui réunit, le lendemain à l'hôtel Palast, ma résidence, les principales personnalités de l'opposition de Berlin. Étaient présents Ibrahim Böhme, président du SPD de la République démocratique, Wolfgang Schnur, l'un des animateurs de Demokratischer Aufbruch, Bärbel Bohley et Jens Reich, cofondateurs du Nouveau Forum et Manfred Stolpe, président du consistoire de l'Église évangélique. Le SPD comprenait essentiellement des intellectuels et des théologiens proches du parti social-démocrate de l'Ouest, comme en témoignait la conférence de presse commune, tenue à Berlin par MM. Vogel et Böhme, le 13 décembre. Il était aussi la seule organisation politique récemment fondée à s'être prononcée sur la question allemande en se déclarant « favorable à la reconnaissance de l'actuelle division de l'Allemagne en deux États ». Ibrahim Böhme avait même qualifié de « précipité » le plan en dix points du Chancelier Kohl. « L'unité de la nation allemande ne peut ni se faire ni se défaire en quarante ans ; j'espère qu'elle se fera sous le signe de l'autodétermination dans le sein européen », m'avait-il dit, reprenant à son compte la phrase de Willy Brandt selon laquelle « l'unité des hommes passe avant l'unité des États ». Après lui M. Schnur, représentant d'un mouvement démocratique qui regroupait des socialistes, des démocrates-chrétiens et des écologistes, m'avait rappelé que le congrès de ce mouvement

s'était prononcé en faveur d'une « unité allemande éta-
tique dans un ordre européen » et de l'élargissement à
d'autres (la Pologne ?) de la communauté contractuelle
(Vertragsgemeinschaft) sur laquelle s'étaient entendus, la
veille, MM. Modrow et Kohl.

Les deux fondateurs du Nouveau Forum précisèrent,
quant à eux, dès le début de la conversation, que leur
mouvement ne constituait pas un parti, et visiblement,
dans leur esprit, il ne s'agissait pas d'une simple
nuance. Bärbel Bohley d'abord, jeune femme dont le
visage, l'attitude, le vocabulaire reflétaient l'idéalisme
du discours, estimait que le 9 novembre, « véritable
date de séparation des eaux », avait été reçu comme un
choc par tous ; que les gens à l'Est avaient l'impression
de sortir de longues années de prison mais que, s'étant
retrouvés sans tuteur, ils avaient besoin d'au moins six
mois de réflexion. « Des élections rapides, c'est trop tôt,
avait-elle conclu. Les valeurs qui ont été créées pendant
quarante ans ne doivent pas être oubliées. » M. Reich
avait alors pris la parole pour recommander qu'on usât
de patience avec les Allemands de l'Est. Si ceux-ci
soupçonnaient que les quatre puissances ayant des
droits et des responsabilités en Allemagne empêchaient
la réunification, ils se révolteraient, ne voulant plus
dépendre que d'eux-mêmes ; que ce désir d'égalité avec
le statut des Allemands de l'Ouest les poussait à prôner
une réunification immédiate, alors qu'en réalité, si elle
se produisait rapidement, il s'établirait entre les individus encore plus de différences et d'inégalités qu'aujourd'hui, d'où la nécessité de retarder les élections. Et
il avait eu ce mot : « L'opposition s'est forgée sur la
négation. L'idée d'une réunification surnage sans être

liée à quoi que ce soit. » Le dernier à s'exprimer fut
Manfred Stolpe, qui, après m'avoir remercié d'avoir
entrepris cette visite, avait regretté qu'il y eût trop peu
de réflexion sur les notions d'unité, de réunification,
de nation. Selon lui, « la clé de l'avenir résidait dans la
manière dont seraient traitées les questions économiques ». Les Allemands de l'Est avaient constaté que,
par-delà la frontière, vivaient des gens comme eux (en
particulier dans le sud du Brandebourg où était utilisé
le même dialecte), et que le niveau de vie de ces derniers était beaucoup plus élevé que le leur. Pour Stolpe,
l'Église devait prendre cette réalité en compte, même
si elle plaçait ailleurs ses idéaux et, sa pensée rejoignant
celle de Bärbel Bohley, il souhaitait que la République
démocratique eût des partenaires économiques autres
que la seule République fédérale. Il rappela à ce propos
que « le Brandebourg avait toujours eu des relations
actives avec la France ». J'avais observé qu'en effet
l'Allemagne de l'Est devait se préparer à connaître une
période difficile – d'un tout autre ordre, naturellement,
que celle qu'elle avait supportée jusqu'ici – avec l'arrivée de la liberté, que sa faiblesse économique resterait
longtemps celle d'un pays assisté, car le monde dit libéral dans lequel elle allait entrer se montrerait, à sa
façon, également impitoyable. J'avais dit aussi que les
Allemands n'avaient pas à être punis dans les siècles
des siècles pour un moment terrible de leur histoire ;
que toute intervention étrangère dans leurs affaires pro-
duirait un résultat contraire et désastreux ; qu'au
demeurant ce ne serait pas juste à leur égard et même,
un demi-siècle après la guerre, injurieux ; qu'enfin les
Allemands de l'Est avaient été très mal traités en 1945,

qu'ils avaient été séparés, opprimés, rejetés dans un monde qui n'était pas le leur et que nous, Occidentaux, avions quelque chose à réparer. J'avais ainsi repris le thème qui m'est cher, et qui continue d'être incompris en France, selon lequel la Prusse, foyer de civilisation et de culture, inséparable de la civilisation et de la culture dont nous, Français, nous réclamons, n'avait pas à douter d'elle-même. Dans un aparté, à la fin de notre entretien, je confiai à Stolpe qu'il n'est pas bon d'être faible dans notre jungle policée et que les Allemands de l'Est l'apprendraient vite à leurs dépens, mais que j'avais la conviction qu'avant la fin du siècle la Prusse réapparaîtrait dans sa vraie dimension, l'un des plus riches réservoirs d'hommes et de moyens de l'Allemagne et de l'Europe.

Cette foi en l'avenir, je l'avais exprimée deux jours auparavant dans des circonstances très différentes, lors du toast officiel et devant un tout autre public, celui de la nomenklatura. M'adressant au président du Conseil d'État, Manfred Gerlach, j'avais célébré la chute du Mur : « Le peuple de la République démocratique a créé un événement d'une portée considérable. Cet événement a provoqué joie et enthousiasme dans le monde. Il a aussi inquiété, comme inquiète toujours l'imprévu. Je ne suis pas de ceux qui redoutent l'histoire qui se fait. Le message que je vous apporte est un message d'amitié de la France au peuple allemand, le peuple allemand tout entier. C'est aussi un message de confiance dans la maturité à l'Est comme à l'Ouest, de ce peuple allemand. C'est enfin un message de solidarité, car nous avons la volonté de bâtir ensemble une Europe pacifique, ouverte et libre. »

Dans l'avion de retour à Paris, à l'encontre des commentaires hostiles à mon voyage qui foisonnaient en France et en République fédérale, je me sentais heureux d'avoir vécu ces moments-là.

Le débat ouvert sur la reconnaissance par l'Allemagne de ses frontières à l'Est occupa désormais le principal de mes conversations avec Helmut Kohl et prit une place majeure dans les discussions où les quatre puissances de tutelle et les deux Allemagnes confrontèrent leurs points de vue pour parvenir à un accord. Ce n'était pas le seul sujet à l'ordre du jour. Mais si les États-Unis se souciaient davantage du rôle qui serait imparti à l'OTAN en Allemagne de l'Est, et si l'Union soviétique et la Grande-Bretagne bloquaient leurs revendications, avec une force égale, sur la totalité des domaines à négocier, la France, qui n'était certes pas indifférente à la renonciation par l'Allemagne aux armes chimiques et biologiques et aux conditions dans lesquelles s'effectuerait le transfert des compétences, considérait que la question des frontières commandait toutes les autres.

Je me suis, par la suite, interrogé. N'avais-je pas exagérément mis l'accent sur l'aspect juridique d'un problème qui ne trouve jamais de solution que politique ?

Encore toute solution politique s'épuise-t-elle d'elle-même, et par la fatigue du temps, et sous le poids des intérêts et des passions en perpétuel conflit. La bousculade incessante de l'Histoire enseigne la vanité des traités dès lors que change le rapport de forces. Depuis ma jeunesse, j'ai vu la carte de l'Europe se brouiller et s'organiser au moins quatre fois, comme la géométrie des couleurs sur l'écran du kaléidoscope. On sait ce qu'il est advenu des traités de Versailles, de Trianon, de Saint-Germain, taillés en pièces quand le vent a tourné. Que reste-t-il de Téhéran et de Yalta, du partage à deux de notre continent, des trente États rangés de part et d'autre de la ligne de démarcation, pièces d'un puzzle recomposé qu'on s'était promis de ne pas retoucher ? 1989 et son grand fracas sont passés par là. L'un des deux empires brisé, ce sont désormais quarante-quatre États qui cherchent leurs marques dans ce même petit espace, sans compter les zones grises où muent dans le bouillonnement des révoltes et des guerres civiles les nationalités en panne de reconnaissance. Je ne me défais pas cependant de l'idée qu'une société ne survit que par ses institutions. Ainsi en sera-t-il de l'Europe. Puisque tout jusqu'ici repose sur la force qui ne cède elle-même qu'à la violence, cassons cette logique et substituons-lui celle du libre contrat. Si la communauté, fille de la raison, adopte des structures durables, vainqueur, vaincu, ces notions appartiendront à notre préhistoire. L'exiguïté de notre continent, la naissance de la Communauté qui regroupe les deux tiers de ses habitants, le besoin éprouvé à l'est comme à l'ouest de l'Europe d'exister et de peser sur le destin de la planète en écartant l'étau qui, d'Asie et d'Amérique, se resserre sur nous, concourent à cette prise de conscience. Je rêve à la prédestination de l'Allemagne et de la France, que la géographie et leur vieille rivalité désignent pour donner le signal. J'y travaille aussi. La chance veut qu'elles n'aient pas d'autre issue. Si elles ont gardé en elles le meilleur de ce que je n'hésite pas à nommer leur instinct de grandeur, elles comprendront qu'il s'agit là d'un projet digne d'elles. Je trace ici un schéma dont je n'ignore pas qu'il sera brouillé, compromis d'année en année, au-delà de ce siècle. L'Allemagne et la France auront d'abord à s'en convaincre elles-mêmes. La France toujours tentée par le repli sur soi et l'illusion épique de la gloire dans la solitude, l'Allemagne toujours hésitante entre ses vocations, soit nation arrimée à l'union de l'Europe, soit héritière, sans le dire, d'ambitions impériales, celles des Hohenzollern et celles des Habsbourg. Les grandes puissances du reste du monde veilleront à ruiner l'avènement d'un ordre qui ne sera pas le leur. Les nostalgiques de la mort au coin de la rue, de l'hôpital qu'on écrase sous les bombes, des voitures piégées pour le seul honneur d'ériger tout lopin de terre en nation, avec des poteaux frontières à la première haie, s'enveloperont dans les plis de mille et un drapeaux. Ma vue s'affaiblit-elle ? L'Europe n'a pas fini de se désarticuler et voilà que j'attends d'elle qu'elle se rassemble davantage. Mais par quoi commencer sinon par le plus difficile ? Demander aux Allemands de garantir leur frontière avec la Pologne est ce « plus difficile » puisque cela suppose qu'ils ont définitivement choisi entre leurs ambitions. Ils y sont prêts par réalisme. Ils s'y sont engagés en signant les accords d'Helsinki. Ils savent que le Meccano européen s'effondrerait si l'on en retirait une pièce, et surtout celle-là, que l'insécurité resurgirait pour tous – donc pour eux. Les souvenirs d'épouvante et d'anéantissement sont trop frais. Le retour parmi les grands de la terre trop fragile.

Proche désormais, entre les deux États, l'unité bute sur un autre mur. Les belles provinces perdues, Poméranie, Mazurie, Silésie et le berceau de la vieille Prusse, c'est maintenant la Pologne et un peu de Russie. Stettin s'appelle Szczecin, Breslau, Wroclaw et Königsberg, Kaliningrad. Après mille ans, les chevaliers teutoniques sont rentrés chez eux. Allemand, je souffrirais comme ils souffrent et je déchirerais l'invitation au renoncement. Ainsi réagissent les déracinés, réfugiés dans leur propre pays, en deuil de ce qui fut leur terre et leur toit. Ils se rassemblent dans une active association – le *Bund der Heimatvertriebenen* – qui exerce une pression bruyante sur le gouvernement, sur la presse, refuse la mutilation et dénonce une trahison. Rien d'anormal si Kohl et ses ministres hésitent ; leur demander de considérer la loi imposée unilatéralement par Staline comme un principe de droit international leur paraît exorbitant. Ils ont envie de nous dire : « Laissez donc cette affaire en repos. Donnez à notre nation meurtrie le temps de s'habituer. Ne précipitez pas le mouvement qui, quoi qu'il arrive, nous mènera là où vous voulez que nous allions. » Mon insistance choque. Les journaux de la République fédérale la dénoncent. L'un de leurs arguments vise juste : tenir pour acquise à jamais la frontière germano-polonaise de 1945. N'est-ce pas entériner du même coup ce qu'on nommera plus tard la purification ethnique, le nouveau tracé ayant servi de prétexte à des transferts massifs et forcés de population, les Allemands chassés des zones cédées à la Pologne et à la Russie tandis que celle-ci vidait des Polonais les régions qu'elle avait annexées ?

L'histoire de l'humanité fourmille d'exemples de cette sorte où, pour des raisons politiques, religieuses ou simplement économiques, des populations ont été transférées d'un pays à l'autre, voire d'un continent à l'autre – remarque qui n'excuse en rien la barbarie contemporaine. Du XVe à la fin du XVIIIe siècle, quelque douze à quinze millions d'Africains, femmes et hommes, ont été victimes de la traite des Noirs et jetés, fers aux pieds, sur des navires européens à destination de l'Amérique. Au XXe siècle, on pouvait croire ces mœurs périmées. Mais, quand les traités de 1919, 1920 et 1921 ont redessiné la carte de l'Europe, certains problèmes de minorité ethnique ont été résolus de cette façon, par des déplacements massifs de populations, et sous la signature des grands pays démocratiques qui n'ont que le mot de civilisation à la bouche. En vertu du traité de Neuilly signé entre les Alliés et la Bulgarie, le 27 novembre 1919, cinquante-trois mille Bulgares établis en territoire grec furent échangés contre quarante-quatre mille Grecs obligés de quitter le territoire bulgare. En Turquie, le désastre grec de Smyrne, en 1922, provoqua l'exode de près de neuf cent mille Grecs d'Asie Mineure et de deux cent cinquante mille Grecs de Thrace et de Constantinople. Le traité de Lausanne, signé entre les Alliés et la Turquie, compléta l'opération en stipulant que les cent quatre-vingt-dix mille Grecs restés en Asie Mineure partiraient contre le renvoi en Turquie des trois cent quatre-vingt-huit mille musulmans vivant en terre hellénique. Dans les années 1944-1945, ce fut au tour des Allemands d'être expulsés de Prusse, de Pologne, de Bohême, des Sudètes, de Hongrie et d'Autriche. On estime le nombre des personnes ainsi déplacées de l'ordre de quinze millions. Après la conférence de Yalta, l'Union soviétique avait signé avec la Pologne, le 21 avril 1945, un accord qui attribuait à cette dernière une partie de la Russie orientale (l'autre, autour de Königsberg, revenant à l'Union soviétique) et qui lui confiait l'administration provisoire des régions situées à l'est de la ligne Oder-Neisse.

À la conférence de Potsdam, il fut décidé que l'on procéderait au transfert des Allemands vivant dans ces régions, et on en expulsa plus de deux millions tandis qu'un million de Polonais, chassés des territoires cédés à l'Union soviétique, vinrent coloniser les lieux ainsi abandonnés. Les Occidentaux s'étaient inclinés également « devant le fait accompli » (le mot est de Harry Truman) par Staline. Il en fut de même pour les Allemands d'Estonie (vingt-cinq mille personnes) et de Lettonie (cinquante mille), de Bukovine du Nord, de Bessarabie du Sud, des bords de la mer Noire, du Banat serbe. J'en oublie certainement. Ceux de la Volga, accusés en 1941 « d'abriter des millions d'espions et de saboteurs », furent dispersés au Kazakhstan et en Sibérie. Ce traitement ne fut pas réservé aux Allemands. Quatre cent mille Finnois furent expulsés de Carélie par les Russes, les Polonais d'Ukraine occidentale et de Biélorussie (plus d'un million) contraints de rentrer en Pologne, tandis que les Ukrainiens installés à l'est de Lublin, en Pologne, franchissaient la frontière en sens inverse.

Il est vrai que les Allemands, principales victimes en l'occurrence de ces méthodes, avaient agi de même quand ils étaient victorieux et que les Russes généralisaient le système partout où s'exerçait leur pouvoir. Telle était en tout cas la réalité devant laquelle nous nous trouvions et tel était le droit convenu par les Alliés, le 5 juin 1945, à Berlin. Ce jour-là, les États-Unis, la Grande-Bretagne, l'Union soviétique et la France avaient déclaré assumer « l'autorité suprême à l'égard de l'Allemagne, y compris tous les pouvoirs détenus par le gouvernement allemand, par le haut commandement allemand et par tout gouvernement ou autorité d'État, municipal ou local ». Ils avaient également décidé qu'ils détermineraient eux-mêmes ultérieurement les frontières ainsi que le statut de l'Allemagne ou de toute région faisant partie du territoire allemand.

Enfin, ils avaient ordonné l'évacuation par les forces allemandes de tous les territoires situés en dehors des frontières de l'Allemagne telles qu'elles existaient au 31 décembre 1937. Bref, la responsabilité de fixer les frontières de l'Allemagne incombait désormais conjointement aux quatre puissances. Les autorités allemandes en convinrent, et le tribunal constitutionnel de la République fédérale, à l'époque consulté, constata qu'il ne lui restait plus qu'à s'en remettre au règlement de paix. Peu après, les chefs des trois gouvernements soviétique, américain et britannique, réunis à Potsdam, établirent, le 2 août 1945, que la frontière orientale de l'Allemagne partirait de la mer Baltique, à l'ouest de

Swinemünde, descendrait le long de l'Oder puis le long de la Neisse pour atteindre la frontière tchécoslovaque. Bien qu'en dépit des engagements pris le gouvernement français n'eût pas été convié à Potsdam, il se rallia cinq jours plus tard à cette fameuse ligne Oder-Neisse tout en faisant savoir que le problème des frontières allemandes formait un tout, à l'Est comme à l'Ouest, au Nord comme au Sud et qu'il ne pourrait être résolu qu'après avoir été examiné en commun par « les puissances intéressées ». Les Occidentaux revinrent sur le sujet lors de la signature des accords de Paris du 23 octobre 1954 avec, cette fois-ci, le concours de la République fédérale, en proclamant que le but essentiel de leur politique était un règlement de paix pour l'ensemble de l'Allemagne, que ce règlement serait négocié avec elle et que la fixation des frontières attendrait ce règlement. Le général de Gaulle qui, jusqu'alors, avait marqué sa préférence pour la division durable de l'Allemagne, profita de cette circonstance pour réviser sa position. Il le fit en ces termes au cours d'une conférence de presse : « La réunification des deux fractions en une seule Allemagne, qui serait entièrement libre, nous paraît être le destin normal du peuple allemand, pourvu que celui-ci ne remette pas en cause ses actuelles frontières et qu'il tende à s'intégrer un jour dans une organisation contractuelle de toute l'Europe, pour la coopération, la liberté et la paix. »

Le différend qui m'opposa à Helmut Kohl sur la reconnaissance de la frontière germano-polonaise fut le seul qui, dans cette période difficile, vint contrarier le climat de bonne entente qu'envers et contre tout nous sûmes préserver. Non que le Chancelier eût récusé le bien-fondé d'une revendication conforme aux résolutions d'Helsinki, et dont il admettait qu'elle s'imposerait tôt ou tard, mais plusieurs motifs l'incitaient à retarder le moment où il lui faudrait y consentir. Excellent pilote des intérêts de sa majorité en Allemagne fédérale, s'il ne désirait pas affronter avant l'heure le mécontentement de ses compatriotes, il serait injuste de réduire à ce simple aspect de politique intérieure la personnalité d'un homme que j'ai vu prudent et résolu, attentif aux détails et fidèle à ses convictions dans le traitement des grands dossiers européens. Un instinct très sûr lui a permis pendant dix ans de perpétuer son pouvoir sans rien abandonner du double dessein qui a fait de lui le Chancelier de l'unité allemande et de l'unité européenne. Nos choix de société, nos engage-

ments politiques, nos amitiés et, peut-être, nos carac-
tères, tout, *a priori,* devait nous séparer. Or nous avons
porté plus haut l'entente entre nos deux pays et, par
une étroite relation personnelle, rendu à la Communauté européenne l'élan qui lui manquait. Proche de
la social-démocratie allemande et souhaitant son
succès, j'ai appris à estimer l'homme qui la combattait
et l'avait écartée de la conduite des affaires. J'étais sensible à son rude bon sens, à sa connaissance des ressorts
humains, à sa faculté d'encaisser les coups, à sa forme
d'intelligence, dont trop d'intellectuels méjugeaient
l'acuité. Certes, il nous est arrivé de ne pas être à
l'unisson. Par exemple, à Bonn, en juillet 1985, lors
d'un sommet des sept grands pays industrialisés,
Ronald Reagan avait souhaité me rencontrer avant
l'ouverture de la Conférence. À mon atterrissage à
Cologne, un hélicoptère de l'armée américaine m'avait
cueilli au bas de l'échelle de coupée et déposé un quart
d'heure plus tard dans le jardin d'un membre de
l'ambassade des États-Unis en République fédérale. Là
m'attendait, autour du Président, son état-major politique au complet. Bien qu'extrêmement cordial,
Ronald Reagan ne perdit pas son temps en formules
de politesse et m'avertit, tout de go, qu'il n'attachait
de réelle importance pour cette session des sept qu'à
deux questions qui ne figuraient pas à l'ordre du jour.
En premier lieu, l'initiative de défense stratégique, plus
communément appelée la « guerre des étoiles », à la
mode en ces années-là, qui consistait à entourer notre
planète de satellites capables, notamment, d'apercevoir
les pas d'un marcheur ou le baiser d'un couple d'amou-
reux dans une rue de Valparaiso ou à l'ombre d'un bec

de gaz à T'ien-Tsin, donc de guetter et de surprendre toute activité supposée ennemie. Pour cette ambitieuse entreprise, on espérait notre concours. En second lieu, la reprise quasi immédiate des négociations commerciales mondiales au sein du GATT avec en point d'orgue le dossier agricole que Ronald Reagan estimait prioritaire. À l'entendre, tout était prêt pour que le directeur du GATT, Arthur Dunkel, pût saisir les cent trois pays membres de l'organisation. J'eus beau lui opposer mon refus catégorique de réduire le débat sur les échanges internationaux à ce seul aspect et sur une base aussi contestable que celle qui avait été établie par l'administration de Genève, rien n'altéra son optimisme, et il m'assura disposer de l'accord de nos principaux partenaires. Nous nous quittâmes en désaccord pour nous retrouver aussitôt à la séance plénière des sept. Dès que j'en eus l'occasion, lors d'une interruption de séance, je consultai Helmut Kohl sur les deux affaires en question. Je me rendis compte que la France resterait isolée. Mais comme, officiellement, les sept avaient à parler d'autre chose, le choc fut différé de quelques mois.

Au cours d'un autre sommet des sept, à Williamsburg (Virginie) en 1983, le front franco-allemand avait subi une première lézarde. Ronald Reagan voulait que l'Alliance atlantique proclamât sa solidarité indissoluble avec le Japon. Outre que cette diplomatie impromptue et brutale me déplaisait (le texte à adopter avait commencé d'être rédigé sur des bouts de papier épars), je m'étonnai qu'on pût jongler avec la géographie au point de noyer l'Atlantique dans la Manche de Tartarie, et de modifier à la sauvette les règles du jeu occidental mûrement réfléchies vingt-quatre années auparavant et arrêtées après des mois de discussion. Mon veto interdit aux sept de conclure. Un vague communiqué permit de sauver la face. Mais Ronald Reagan ne dissimulait pas son exaspération, tandis qu'Helmut Kohl, qui désirait avant tout qu'aucun pont ne fût coupé et qui avait servi tout l'après-midi d'aimable compositeur entre les antagonistes, se montrait franchement désolé de n'avoir pu empêcher la rupture de solidarité avec la France à laquelle il était fort attaché.

Le même cas de figure se produisit quand l'OTAN décida, en 1991 à Bruxelles, de retoucher ses structures militaires en Europe. Adapter l'Alliance au nouvel état de notre continent relevait du bon sens, mais je me méfiais de la forme que prendrait ce changement. D'autant plus qu'à mesure que s'allégeait leur dispositif militaire, faute d'adversaire visible, les Américains accroissaient leur pression politique pour que rien ne leur échappât. Je ne souhaitais pas que la volatilisation de l'empire soviétique s'accompagnât d'une présence renforcée de nos alliés dans tous les rouages politiques et militaires que nous mettions en place. Or les propositions de George Bush, présentées avec beaucoup plus de doigté que naguère par son prédécesseur, restreignaient la liberté de mouvement de nos institutions communautaires, en particulier du premier maillon d'une défense commune, l'Union d'Europe occidentale. Helmut Kohl, d'accord sur l'essentiel, c'est-à-dire sur une démarche militaire propre à la Communauté, ne put me suivre jusqu'au bout de mes réticences. Une fois de plus, l'OTAN et son rôle en Europe servaient de révélateur aux difficultés latentes qui existaient entre l'Allemagne fédérale et la France. Il n'y avait pas à s'en étonner. Nous n'étions pas sortis des ultimes turbulences de la guerre. L'influence des États-Unis s'exerçait plus fortement sur la République fédérale que sur la France – en tout cas avec plus de succès. Pour une raison simple : l'Allemagne, hantée par les problèmes de sa sécurité, ne s'accordait aucune marge d'appréciation quand le président des États-Unis se prononçait en ce domaine. Pas la France. En conclure que notre politique se voulait systématiquement distincte de la politique des États-Unis serait inexact. La guerre du Golfe en témoigna, de même que, par mon discours de 1983 au Bundestag, j'avais contribué à réunir le front occidental que divisait l'installation en Europe des fusées Pershing. Mais je n'acceptais pas que la France fût soumise, comme trop d'autres, aux volontés comme aux intérêts de notre allié. Kohl comprenait cette indépendance d'esprit et attendait, je le pense, le moment d'affirmer la sienne, mais les séquelles des deux guerres mondiales le contraignaient à des précautions dont, moins marqué par ces tragédies, il se fût dispensé.

Quoi qu'il en fût, le couple franco-allemand tenait bon. Le Chancelier et moi avions des vues semblables sur la construction de l'Europe et considérions cette ambition comme la pierre angulaire de notre action. Peut-être cette concordance était-elle due à l'expérience que nous avions acquise l'un et l'autre de la guerre, lui dans sa quinzième année, au spectacle de l'abaissement de sa patrie, moi pour y avoir pris part et pu mesurer l'immensité du dommage subi par les Européens. Kohl s'était lié par la suite à la personne et à la carrière de Konrad Adenauer et se considérait à distance comme l'authentique exécuteur de sa pensée. Il lui vouait un attachement sincère qui n'était pas dénué d'une affectueuse ironie quand il me racontait la façon dont l'ancien Chancelier, après la tournée triomphale, les ovations et les célébrations qui avaient accompagné son départ à la retraite, à quatre-vingt-huit ans, le recevait dans sa maison de Rhöndorf en gémissant sur l'ingratitude des hommes : « Voyez ce qu'ils m'ont fait », disait-il à ses visiteurs en désignant d'un geste vague les roses de son jardin, preuves éclatantes de sa disgrâce. Quant à moi, je me sentais à l'aise dans la dialectique de ce passé vécu et du futur imaginé. J'avais été soldat en 1940, et prisonnier. Évadé, j'avais combattu dans la Résistance. À ces rudes contacts, j'avais appris à connaître les Allemands. Je les respectais. Quand j'entendais parler, dans les années soixante-dix à quatre-vingt, de miracle économique allemand, je m'irritais d'une expression qui attribuait à l'irrationnel l'admirable effort de ce peuple ramassé sur lui-même et qui avait gardé foi en son destin dans le pire désastre de son Histoire. Le mot miracle avait quelque chose d'injuste pour lui et d'insolent pour qui avait, comme moi, parcouru les villes allemandes dans l'immédiat après-guerre. Je n'avais pas effacé de mes yeux cette vision. Français, encore imprégné de la lutte à mort contre Hitler, j'avais le cœur soulevé, empli de compassion pour ce qui restait des rues de Francfort et de Nuremberg, vagues espaces libres entre deux rangées de moignons calcinés, et l'ombre noire des survivants, sortant des caves, errant dans les ruines, cauchemars de la nuit qui avaient peur du jour. Pourquoi un miracle ? J'avais assisté pendant vingt-cinq ans à l'effort obstiné d'un peuple, acteur majeur de l'aventure humaine, qui avait su le redevenir et qui ne le devait qu'à son travail, à son courage, à son esprit de sacrifice. Je devrais ajouter : à son génie singulier. Inutile d'aller chercher au ciel une autre explication.

Cet arrière-plan fera comprendre à mes lecteurs comment l'Allemagne et la France ont pu traverser la zone des tempêtes provoquée par l'agonie du monde soviétique sans conséquence grave sur leur nouvelle alliance. La manière dont fut traitée la question si sensible de la frontière germano-polonaise, sans que les tensions ne débouchent sur une crise, le démontre. À chacun de nos rendez-vous avec Helmut Kohl – il y en eut huit de novembre 1989 à mai 1990 –, je revins avec insistance sur ce sujet et, chaque fois, j'entendis le même argument : la République fédérale allemande ne pouvait se prononcer sur une question qui relevait de la compétence de l'Allemagne unifiée. En vertu de quoi le Chancelier s'accrocha pendant huit mois à cette position. À la présidente du Bundestag, Mme Rita Sussmuth, membre éminent de la démocratie chrétienne, qui avait demandé que la ligne Oder-Neisse fût confirmée sans délai par une déclaration commune des deux Parlements allemands, il avait répondu que cette initiative « était inacceptable à l'heure actuelle ». La même proposition avait suscité des réactions contradictoires, au sein de la majorité parlementaire au Bundestag, réactions favorables au parti libéral, mélangées avec une dominante négative à la démocratie chrétienne. Des voix s'élevaient, en effet, qui, dans son propre camp, contestaient la position du Chancelier. Hans-Dietrich Genscher, Vice-Chancelier, et ministre des Affaires étrangères, se prononça, le 6 janvier, à Stuttgart, en total désaccord avec son chef de file : « Rien du point de vue constitutionnel ne peut nous empêcher, dès maintenant, de dire que nous, Allemands – tous les Allemands – ne mettrons en question ni aujourd'hui ni à l'avenir la frontière occidentale de la Pologne. » Thèse qu'il répéta d'abord le 9 février, à Potsdam, où il soutint l'idée d'une garantie fronta-lière donnée par les deux Parlements allemands après les élections en République démocratique fixées au 18 mars, puis, à Bonn, le 27 février, où il suggéra la signature d'un traité à trois, République fédérale, République démocratique et Pologne. À son tour, pré-sident du parti libéral, le comte Lambsdorff, réputé pour sa brouille avec le sens des nuances, lâcha, dans une intervention radiodiffusée : « Celui qui ne veut pas fixer définitivement la frontière occidentale de la Pologne, avant la réunion des deux États allemands, doit savoir que ceux-ci ne se réuniront pas, car si une décision n'est pas prise à l'avance, nos partenaires dans le monde entier ne donneront pas leur accord à l'unité allemande. » En revanche, le président du groupe par-lementaire démocrate-chrétien, Alfred Dregger, et son secrétaire général, Erwin Huber, se rangèrent aux côtés du Chancelier, ce dernier qualifiant toute autre attitude de « politiquement légère ». Quant à l'union des asso-ciations de réfugiés, haussant la polémique de plusieurs tons, elle traita Mme Sussmuth et ses émules de « fos-soyeurs de l'Allemagne orientale ».

Mais, bientôt, cette querelle céda le pas devant la

puissance des faits. Le réalisme de Gorbatchev, lorsqu'il eut compris que l'Union soviétique avait perdu son atout maître, c'est-à-dire la menace d'une intervention militaire à laquelle personne ne croyait plus, leva les derniers obstacles à la réunion d'une conférence où les quatre puissances de tutelle et les deux États allemands examineraient les procédures à suivre pour réaliser l'unité dont chacun percevait l'inéluctabilité. Margaret Thatcher, résignée, s'inclina, à sa manière, qui consistait à présenter ses déboires sous un éclairage glorieux. Ainsi opère aujourd'hui la pierre philosophale, qui transforme si souvent, dans la politique ordinaire, un échec en succès. Ce lui fut d'autant plus facile qu'elle avait une pratique accomplie de ce genre d'alchimie, à laquelle elle se livrait à chaque retour d'un sommet européen où ses thèses, régulièrement rejetées, lui valaient dans son pays, après un discours aux fiers accents devant la Chambre des communes, des triomphes romains.

Dans les premiers jours de 1990, j'avais demandé à Roland Dumas d'organiser une réflexion commune entre l'Élysée et le Quai d'Orsay afin de déterminer la méthode à suivre sur les questions posées par l'unité allemande, devenue imminente. Ce groupe avait conclu qu'il était urgent d'interroger les dirigeants ouest-allemands sur leurs intentions, sans attendre les élections du 18 mars, estimant qu'il y aurait plus d'inconvénients à ne rien faire avant cette date qu'à parler clair dès maintenant. Une négociation immédiate s'imposait. Roland Dumas m'avait adressé une note où il était dit « qu'une telle discussion ou négociation ne pouvait pas être réclamée publiquement par la France sans provoquer l'indignation de l'opinion allemande et une flambée de nationalisme qui rendrait la suite encore plus difficile, et qu'il en irait différemment si un responsable allemand tendait une perche aux quatre ». Ayant appris par James Baker, le secrétaire d'État américain, que ce dernier partageait ces vues, il avait sondé Hans-Dietrich Genscher pour savoir si ce dernier était prêt, dans l'intérêt de l'Europe, à défendre l'idée d'une discussion entre l'Allemagne et les quatre puissances de tutelle. La France et ses trois partenaires saisiraient alors la balle au bond et proposeraient un calendrier. Genscher répondit favorablement à l'invite et, le 10 février, de Moscou, où il venait de rencontrer Mikhaïl Gorbatchev, émit le souhait « qu'une conférence réunît les quatre puissances, la France, la Grande-Bretagne, les États-Unis, l'Union soviétique avec les gouvernements des deux Allemagnes sur le problème de l'unification », ajoutant « que cette conférence précéderait la tenue du sommet de la CSCE, ce qui donnerait un cadre paneuropéen au processus de réunification allemande ». Hans-Dietrich Genscher, ce faisant, pensait plus au sort de l'OTAN qu'à la frontière polonaise. Une partie de l'opinion allemande, en effet, militait pour que l'Allemagne une fois réunifiée se retrouvât libre de ses orientations politiques et militaires. D'autres plaidaient pour qu'elle entrât en bloc dans l'OTAN, les limites de l'Alliance atlantique reportées jusqu'à la ligne Oder-Neisse. Genscher suggéra une troisième solution : les troupes soviétiques évacueraient la République démocratique ; celle-ci quitterait le pacte de Varsovie ; l'Allemagne unie resterait membre de l'OTAN mais, au sein de cette Allemagne, le territoire de l'ancienne République démocratique serait démilitarisé de façon que le dispositif de l'OTAN restât éloigné des frontières soviétiques. Au demeurant, la convocation d'une réunion des 4 + 2 répondait aux vœux de Mikhaïl Gorbatchev qui m'avait écrit, le 2 février : « J'estime qu'il est dans nos intérêts communs de suivre ensemble, avec toute

l'attention requise, l'évolution des affaires germano-alle-
mandes pour éviter les secousses qui affecteraient inévitablement l'Europe. » Un message de M. Chevarnadzé
à Roland Dumas, trois semaines auparavant, avait déjà
laissé entendre que Moscou désirait aborder, au-delà du
statut de Berlin, « la totalité du problème allemand ».

Il n'y avait plus de raisons d'attendre. À Ottawa, où se
tenait la Conférence des trente-cinq sur un projet d'ins-
pection aérienne dénommé « Ciel ouvert », un communiqué des six ministres des Affaires étrangères directement intéressés annonça que « les différents aspects
externes de la réalisation de l'unité allemande, y compris
les questions de sécurité des États voisins, seraient exa-
minés au cours de réunions qui auraient lieu prochai-
nement ». Ainsi commencèrent les conférences 4 + 2
(« 2 + 4 » corrigèrent aussitôt les Allemands), la première
à Bonn, le 5 mai, la deuxième à Berlin-Est, le 22 juin, la
troisième à Paris, le 17 juillet, pour aboutir à la signature,
le 12 septembre à Moscou, d'un traité « portant règlement définitif concernant l'Allemagne ».

Helmut Kohl, qui ne voulait ni d'une conférence, ni
d'un traité, ni de la présence polonaise réclamée par les
dirigeants de Varsovie, ne céda qu'à regret. Mais il continua d'afficher une extrême susceptibilité craignant que
les alliés ne se substituent au libre arbitre allemand.
L'équilibre européen risquait d'être fortement secoué par
l'unification, et je savais qu'Helmut Kohl en avait
conscience. Il fallait donc distinguer les deux négociations tout en les menant de front. Une interview donnée
le 14 février à huit quotidiens régionaux français me
fournit l'occasion de le dire : « De la simple commu-

nauté contractuelle à l'absorption de la République démocratique par la République fédérale en passant par la Confédération ou la Fédération, les hypothèses sont multiples. Qui ne comprendrait les aspirations à l'unité de ce peuple si longtemps divisé ? Français, j'ai pris part aux combats de la Résistance quand la France était occupée et divisée par la force allemande. Il serait injuste de tenir les générations actuelles pour responsables d'un passé vieux d'un demi-siècle. D'autant plus que, réconciliés, Français et Allemands ont bâti depuis cette époque une solide amitié. Que les Allemands sachent bien que je forme, comme la majorité des Français, des vœux fraternels pour que s'accomplisse heureusement leur destin. Mais l'unification, quelle que soit la forme qu'elle prendra, entraînera des conséquences auxquelles la France est directement intéressée : le contenu du règlement de paix, la fixation des frontières, l'intégration dans la Communauté, le stationnement des forces armées, l'état des alliances. Mon devoir est de veiller à la sécurité et aux intérêts fondamentaux de la France. » C'est sous cet angle et inspirée par ces principes que notre diplomatie aborda la Conférence des six.

La Pologne causa la première difficulté qu'eurent à vaincre les négociateurs. Devait-elle ou non siéger à la Conférence ? Le Chancelier allemand avait opposé un veto à sa présence. Pour plus de sûreté, il avait fait monter les enchères en revendiquant le règlement de réparations dues, selon lui, par la Pologne à l'Allemagne pour les dommages subis par les expulsés des vieilles provinces et en exigeant au bénéfice de ces derniers un statut particulier. Me parvint alors une demande d'audience du Président polonais, le général

Jaruzelski et de son Premier ministre, M. Tadeusz Mazowiecki. Je proposai la date du 9 mars. L'effet d'annonce fut immédiat. La veille du rendez-vous, le Bundestag vota une résolution favorable à l'accélération du processus de reconnaissance des frontières et qui ne parlait ni de réparations ni de statut particulier. Je reçus mes visiteurs, en compagnie de Roland Dumas, au salon bleu de l'Élysée. Le général Wojciech Jaruzelski revenait à Paris pour la première fois depuis la visite, objet de vives polémiques, qu'il m'avait faite au retour d'un voyage en Libye et en Tunisie, quatre ans plus tôt. Beaucoup d'eau avait coulé sous les ponts de la Vistule. Je n'avais plus devant moi l'homme de « l'état de guerre » qui m'avait exposé le dilemme devant lequel il était placé : ou bien choisir la gloire du refus au prix de l'anéantissement de sa patrie, ou bien sauver ce qui pouvait l'être en se soumettant aux ordres de Moscou. Héros ou traître ? Traître peut-être, aux yeux de ses contemporains, héros sans doute pour l'Histoire. Il savait qu'il était condamné à sévir contre la résistance de ses compatriotes et qu'il aurait à supporter le poids de la haine et du mépris. Il l'acceptait. Tel était, me disait-il, son devoir. Plutôt que de laisser l'armée soviétique réoccuper son pays, et de la laisser agir à sa guise, le sentiment qu'il avait de sa charge lui dictait de prendre les devants, fût-ce pour éviter le pire.

On l'accablait en Occident. Une violente campagne de presse le présentait comme le bourreau de son peuple, exécuteur des basses œuvres soviétiques. Pourtant, nombreux étaient les dirigeants occidentaux qui le conjuraient d'empêcher à tout prix l'intervention de l'armée rouge. Ils lui faisaient savoir qu'une telle issue entraînerait des conséquences dramatiques pour notre continent. Ce discours lui avait été tenu par Claude Cheysson, ministre des Affaires extérieures français, par le Chancelier autrichien Kreisky, par le Chancelier allemand Schmidt. Le ministre des Affaires étrangères polonais, Josef Czyrek, avait entendu le même langage dans la bouche d'Alexander Haig, secrétaire d'État américain, du cardinal Casaroli, secrétaire d'État du Vatican, de lord Carrington, ministre des Affaires étrangères britannique. Ces démarches sont consignées dans son livre *Les Chaînes et le refuge,* paru en 1992, assorties de ce commentaire : « L'Occident nous disait : Tout, n'importe quoi, pourvu que l'Union soviétique n'intervienne pas militairement en Pologne [...]. Tout ? Mais quoi ? Comment ? Avec qui ? Contre qui ? Personne, hélas, n'avait de solution à nous proposer. Tout au plus, lorsque nous évoquions la gravité de la crise que traversait notre pays, les grèves, les manifestations, l'anarchie et, surtout, l'impossibilité de poursuivre le dialogue avec Solidarnosc, nous laissait-on entendre qu'on partageait nos préoccupations et que l'autre partie avait peut-être sa part de responsabilité, mais, en général, tombait la même exhortation : " Entendez-vous avec Solidarnosc, par pitié, mais surtout faites en sorte que l'on ne voie pas des chars soviétiques dans les rues des villes polonaises... " » Ces déchirements, ces contradictions, ce combat intérieur étaient dans la logique du personnage, de son terrible parcours, de son histoire brisée. Je les pressentais. Aussi n'avais-je pas hésité à le recevoir. À la même heure, dans Paris, des cortèges me conspuaient ainsi que mon hôte, sous les fenêtres de l'ambassade de Pologne, à proximité des Invalides, faute de pouvoir accéder aux portes de l'Élysée. Parmi eux, les traditionnels porteurs d'eau de l'universelle dénonciation du crime contre le droit, mais aussi quelques-uns de mes amis personnels qu'une indignation chronique étourdit au point de vouloir ignorer qu'il est d'autres manières de servir la même cause. Tandis que me parvenaient les rumeurs de cette estimable et vaine protestation, j'observais Jaruzelski. Le visage immobile et le regard voilé par ses lunettes noires, je discernai sous cet air impassible la trace d'une grande douleur. Il raconta son enfance de noble terrien, déporté à l'âge de quinze ans avec ses parents et sa petite sœur, sa colonne vertébrale déformée par le poids des sacs de farine trop lourds pour ses faibles forces, son père mort de fatigue et de faim, la séparation d'avec sa mère trois longues années, son éducation militaire stricte, sévère au sein des troupes polonaises incorporées dans l'armée rouge. Il ne se plaignait ni des Russes ni du système soviétique mais me confia son espérance en la perestroïka de Gorbatchev, dont il était l'ami. Le pourquoi de tout cela ? On le comprend à la fin de son livre, où les mots reviennent, lancinants : « La Pologne... ma patrie. » Quand il quitta l'Élysée, avec les honneurs militaires dus à sa fonction, et j'en étais désormais convaincu, à sa personne, je dis à Roland Dumas : « Nous n'avons pas rencontré un dictateur ni un aventurier mais un vrai patriote », jugement confirmé beaucoup plus tard par Adam Michnik, l'un des plus violents opposants de Jaruzelski, arrêté, emprisonné en application de l'état de guerre : « Il est possible qu'on apprenne un jour que les gens qui inscrivaient leur nom sur cette page de l'histoire de la Pologne l'avaient en fait sauvée d'une intervention soviétique [...]. En décembre 1981, cette menace était bien réelle, de même que la menace de coup d'État de la part des conservateurs, et qu'en se protégeant à la fois contre un coup d'État et un putsch Jaruzelski et son équipe avaient sauvé la Pologne. »

Les deux dirigeants polonais se montrèrent peu sensibles aux concessions du Bundestag, sceptiques, à l'évidence, sur la bonne volonté allemande. Pour justifier leur entêtement, Jaruzelski et Mazowiecki déplièrent sur la table du salon une carte couvrant les deux pages centrales d'une brochure diffusée par la centrale de la CDU de Bonn à l'intention des expulsés et réfugiés et des électeurs de la République démocratique, appelés à voter huit jours plus tard, et représentant sous un coloris rouge d'un côté, rose vif de l'autre, sans indication de frontière et sans distinction graphique, une Allemagne réunifiée qui intégrait non seulement les deux États mais encore les territoires perdus en 1945. Distribué au congrès de Brême de la CDU des 10 et 11 septembre 1989, ce document sous le titre « Qu'est-ce que l'Allemagne ? » répondait : « Les provinces de l'Est font toujours partie intégrante du Reich allemand. » Le tribunal constitutionnel fédéral avait déjà constaté le 7 juillet 1975 : « Les territoires situés à l'est de l'Oder et de la Neisse [...] n'ont pas été annexés par les puissances victorieuses à la fin de la guerre. Nous partons donc du principe qu'un ensemble territorial allemand dans les frontières du 31 décembre 1937 est toujours valable du point de vue du droit international. » Comme j'objectai à mes interlocuteurs : « C'est de la propagande électorale », ils me renvoyèrent à l'apostrophe de Hans-Dietrich

Genscher lancée devant le même Bundestag, sous les applaudissements des députés : « L'idée d'associer la Pologne à une négociation n'est pas juste.» Je leur conseillai cependant moins de raideur dans leur approche diplomatique. La France, qui jugeait la résolution du Bundestag, bien qu'en progrès, insuffisante, et qui trouvait indispensable la participation des plénipotentiaires polonais aux séances où seraient débattus les intérêts de leur pays, les aiderait, à condition que s'établît un dialogue sérieux avec les Allemands, de toute façon préférable à un affrontement dont nul n'aurait tiré profit. Il n'y avait pas d'équivoque. Je leur rappelai le discours de Roland Dumas prononcé, le 1ᵉʳ mars, à Berlin : « De simples déclarations, si solennelles fussent-elles, ne sauraient suffire. Des questions aussi essentielles relèvent nécessairement d'arrangements contractuels soumis à ratification.» Je gardai pour moi, en revanche, la mauvaise humeur d'Helmut Kohl qui marquait depuis lors quelque froideur à l'égard de notre ministre des Affaires étrangères. («Mais qu'est-il allé faire à Berlin ?» avait-il bougonné devant moi. « Ce que je lui ai demandé », avais-je répondu.) Cette algarade m'avait, en tout cas, confirmé dans l'opinion que j'avais de l'extrême réticence allemande. Nous convînmes d'avancer avec précaution sans renoncer au principal. Ce que je fis lors de la conférence de presse d'après nos entretiens avec les dirigeants polonais : « La France appuie la demande polonaise afin que l'intangibilité de la frontière Oder-Neisse soit consacrée et proclamée par un acte juridique international, ce qui veut dire que la position de la France va plus loin que celle qui ressort de la déclaration adoptée par le Bundestag. En tout état de cause, nous estimons que la Pologne doit être associée aux travaux qui seront engagés sur cette question. » Nos deux visiteurs rentrèrent en Pologne rassurés sur l'attitude de la France. Il n'y eut pas de réaction officielle allemande. Le duel des petites phrases s'arrêta là. La rencontre franco-polonaise en avait marqué le terme, d'autant plus qu'elle recoupait le champ de la négociation des 4 + 2 où l'on discutait précisément de ce sujet. Le 17 juillet, la Pologne participa à la réunion des 4 + 2. Et le 12 septembre, le traité portant règlement définitif fut signé à Moscou. Il spécifiait que l'Allemagne et la Pologne confirmeraient la frontière existante par un traité particulier ayant force obligatoire en vertu du droit international. Déjà, le 12 juin, les Parlements de République fédérale et de République démocratique, chacun de son côté, avaient voté un texte en termes identiques, invitant l'Allemagne et la Pologne à un engagement réciproque pour le respect, sans restriction, de leur intégrité territoriale et proposant la confirmation par traité des frontières existantes. Les deux gouvernements allemands avaient repris ce texte à leur compte avant de le transmettre à Varsovie. La Pologne se déclara satisfaite. Cinq mois encore et, le 14 novembre, un traité germano-polonais conforme aux engagements pris fut signé.

Ainsi s'acheva une controverse qui avait mis à l'épreuve l'amitié franco-allemande. De part et d'autre on pouvait se réjouir de l'avoir dominée, sans dommage. À quoi eût servi le non-dit ou l'abandon par la France d'une exigence fondamentale ? J'avais dit que tant que la question des frontières ne serait pas réglée le dossier de l'unité allemande ne serait pas clos. Désormais, il l'était.

MAI 1981 :
RÉACTIONS DE L'ÉTRANGER

Peu d'élections importantes en France auront suscité autant de désappointement et de froideur dans les chancelleries que celle du 10 mai 1981 qui vit mon propre succès.

Les dépêches de nos ambassadeurs sur cet événement inattendu confirmèrent en l'aggravant l'impression que m'avait laissée la lecture des journaux dits informés. Ils se révélèrent étonnamment à l'unisson, que ce soit à Washington, à Moscou, à Bonn, à Pékin, à Londres, à Rome ou à Damas. Partout on s'inquiétait. Car nulle part le changement n'est désiré. Là comme ailleurs l'alliance des orthodoxies se noue dès que l'ordre établi est remis en question. On s'était habitué à une France conservatrice, on avait appris à connaître ses acteurs, on avait trouvé quelques bases d'accord comme on en trouve toujours dans les milieux diplomatiques où il suffit de se baisser. Tandis qu'avec ce renversement de situation il fallait réviser les compromis. Cesser de faire semblant et de laisser croire qu'un désaccord était un accord et que les choses allaient pour le mieux dans le meilleur des mondes.

Les Américains, dans ce retournement, jouèrent le rôle le plus logique, le plus prévisible. Comment se seraient-ils réjouis de la victoire d'un candidat de la gauche qui disposait du soutien communiste, ce qui laissait entrevoir leur entrée dans le gouvernement de l'un des principaux alliés occidentaux, membre des systèmes de coopération notamment militaire ? On s'était cru débarrassé de cette hantise trente-quatre ans plus tôt et voilà qu'elle resurgissait. Avec risque de contagion dans l'Europe du Sud. La dissolution de l'Assemblée nationale française déboucherait sur de nouvelles élections législatives. Tout laissait prévoir que, si je m'y prêtais, le parti communiste ferait, après quinze ans d'absence, son retour au gouvernement. C'était l'objet de tous les débats de presse. Je ne pouvais accorder une interview sans que la question me fût aussitôt posée. Prendrez-vous des communistes au gouvernement ?

L'alliance électorale et le programme commun avec ces derniers auraient dû en convaincre les questionneurs. Mais je me gardai de répondre pour ne pas laisser errer les commentaires à l'infini. J'esquissai tout au plus une orientation insuffisamment explicite lors d'une conversation à bâtons rompus avec les journalistes au cours de la cérémonie commémorative annuelle du massacre de Dun-les-Places, dans la Nièvre, par les troupes allemandes le 26 juin : « Qu'on me laisse d'abord gagner. Ensuite, on verra. » Au vrai, ma décision en cas de victoire dépendait de son ampleur. Si je n'avais pas besoin des suffrages communistes – ce qui eût été le cas avec une majorité absolue de députés socialistes –, j'aurais pris des ministres de ce parti. Sinon cela restait à examiner. Je n'avais pas intérêt, d'autre part, à concentrer les attaques sur ce sujet qui rassemblait mes adversaires. Je me contentai de me taire, obstinément. Ce qui ne pouvait naturellement qu'alimenter les inquiétudes. Surtout à l'étranger. Je ne m'en étonnai pas, encore moins je ne m'en indignai. Je me promis simplement de faire comprendre, par mes propos et par mes actes, aux Américains que j'étais leur allié loyal, qu'ils mélangeaient les époques et les situations historiques, que la France était prête à beaucoup d'arrangements, sauf à celui qui la conduirait à se soumettre au diktat politique et idéologique d'un allié, habitué à la soumission ou à la complaisance de ses partenaires. J'ajoutai : « J'ai défini une politique, je prends avec moi ceux qui l'acceptent. Je ne prends pas ceux qui la refusent. Que le parti communiste ait des objectifs différents des miens, c'est évident, mais des ministres communistes ne seraient pas là pour appliquer la politique de leur parti. Je veux faire l'Histoire en avançant. »

C'est ce que j'avais l'intention de répéter à George Bush que Ronald Reagan m'expédiait en catastrophe. Initiative assortie d'un communiqué du département d'État où il était dit que « en tant qu'alliés, les rapports entre la France et les États-Unis seraient affectés par l'entrée des communistes au gouvernement ». Interrogé à ce propos, j'avais répondu que « je ne m'étais pas posé la question de savoir si ma décision correspondait au désir ou à la volonté de tel ou tel pays et que je ne me la poserai pas ». La réaction des Américains, c'était leur affaire, la décision, la mienne. Et j'avais continué : « Ma conviction est que plus les décisions de la France seront libres et plus la France sera respectée. Je ne pren-

drai donc pas davantage de précautions dans l'avenir. »
La France est un « bon allié » des États-Unis, nation
proche de la nôtre. L'histoire des deux derniers siècles
le prouve. Nous avons des intérêts communs qui ne
sont pas à la merci des événements du moment. Les
Américains sont loin de chez nous et ils ne comprennent
pas nos évolutions. « Tout cela, avais-je ajouté, c'est
l'humeur du moment. »

    « Le chef de l'État, releva une agence de presse, a
d'autre part estimé que M. Reagan " était plus fin et
plus ouvert qu'on ne le pensait " et que M. Bush " était
très sympathique " ; " Les États-Unis, a-t-il expliqué,
peuvent craindre une certaine forme de contagion
(Portugal, Italie...), je les comprends très bien, mais je
voudrais qu'ils me comprennent aussi bien que je les
comprends. " Insistant, au cours de cette conversation,
sur l'attitude des États-Unis, M. Mitterrand a affirmé :
" On a écrit : 'Reagan se fâche.' Et après ? Reagan éter-
nue. Et après ? Je ne vais pas aussitôt mettre le petit
doigt sur la couture du pantalon. " Répondant aux
rumeurs concernant une éventuelle escale à Washington
à son retour du sommet des pays industrialisés, à
Ottawa, les 20 et 21 juillet, le président de la République a assuré : " Il n'en est pas question. " »

    Les réactions de la presse américaine reflétèrent l'état
d'esprit des milieux officiels. La note pessimiste, ce qui
était à prévoir, dominait : « Le programme économique
du nouveau Président ne représente pas la voie du
futur, mais celle du passé », écrivait le *Wall Street Journal*
dont la position contraire eût été stupéfiante. Le
Washington Post, politiquement plus nuancé, força au
contraire la note : « Les réformes radicales, les natio-

nalisations, une certaine hostilité à l'égard de l'investissement étranger, y compris américain, tout cela va disloquer les relations monétaires et commerciales.» Joseph Kraft, l'un des éditorialistes les plus écoutés, avec lequel j'entretenais des relations cordiales et qui me décrit comme un «idéaliste mélancolique», fit observer que «les États-Unis [avaient] perdu avec Giscard le dirigeant français le plus pro-américain», idée que reprit Jim Hoagland dans le *Washington Post* en l'élargissant au reste du monde : «Trois administrations américaines successives ont vu en Giscard d'Estaing le chef européen le plus capable et décidé d'œuvrer avec les États-Unis pour la défense des intérêts occidentaux dans le tiers-monde. Les Européens qui ont mis l'accent sur la nécessité d'une autodétermination palestinienne ont perdu avec Giscard un leader. Brejnev a perdu pour sa part la relation spéciale qu'il entretenait avec le Président français de même que Helmut Schmidt dont l'aile gauche de son parti gagnera sans doute à l'élection de M. Mitterrand. Ce dernier entretient aussi de bons rapports avec les leaders socialistes d'Espagne, d'Italie, du Portugal, ce qui donnera à la politique française une tonalité latino-européenne qui n'était pas du goût de Giscard.»

Ce journaliste semblait avoir oublié que le peuple français avait assez peu tenu compte des goûts de M. Giscard d'Estaing en lui refusant un second mandat. Mais peu importait. John Wallach, du *Los Angeles Herald Examiner,* résumait assez bien le climat dans cette formule : «En définitive, Washington est nerveux.» Appréciation tempérée par l'éditorial du *Baltimore Sun* : «Les Américains ont toujours mieux traité avec les rebelles français qu'avec leurs rois ou leurs généraux. M. Mitterrand perpétuera peut-être cette tradition. »

Mais trêve de spéculations ; le 22 mai 1981, je pris un décret dissolvant l'Assemblée nationale et, le 21 juin, les Français, en élisant deux cent quatre-vingt-cinq députés socialistes sur cinq cent quatre-vingt-neuf, leur donnaient la majorité absolue et me laissaient de ce fait le champ libre. Le 23 juin 1981, je constituai mon deuxième gouvernement Mauroy avec, cette fois-là, quatre ministres communistes : Charles Fiterman, ministre d'État chargé des Transports ; Jack Ralite, ministre de la Santé ; Marcel Rigout, chargé de la Formation professionnelle ; et Anicet Le Pors, ministre de la Fonction publique et des Réformes administratives. J'estimais par là remplir l'obligation politique et morale contractée à l'égard d'électeurs communistes qui m'avaient fidèlement soutenu, souvent contre leurs dirigeants, et renforcer l'union de la gauche, source de la mobilisation populaire. Un hasard avait voulu que je fusse l'un des derniers témoins d'une scène mémorable : le départ, près de quarante ans plus tôt, des cinq ministres communistes de Paul Ramadier, Maurice Thorez en tête. Une boucle était bouclée. Réponse était ainsi donnée aux interrogations de toutes sortes. Je pouvais agir sans rien ignorer des difficultés qui m'attendaient.

Quand je reçus George Bush (tandis que Claude Cheysson allait à Washington), la situation était claire. Cela ne nuisit aucunement à la cordialité et à l'utilité des entretiens. Bush se montra tel qu'il était et resta jusqu'à la fin de son propre mandat un partenaire bien-veillant, très bon connaisseur des dossiers. Je n'assurerai pas qu'il fut convaincu du bien-fondé de mes positions, mais il se fia à mes prévisions et nous n'eûmes ni l'un ni l'autre à le regretter, surtout lorsqu'il devint lui-même chef de l'exécutif américain. Je peux dire qu'à partir de ce rendez-vous d'un type particulier nous devînmes amis.

À Washington, le State Department continuait d'hésiter, le chaud alternant avec le froid, mais le choc était passé. La préparation du sommet industriel d'Ottawa, prévu pour le début d'octobre, prit le pas sur les regrets. Les émotions internationales durent le temps d'un soupir. Il en fut de même à l'Est.

Un trop rapide raisonnement pourrait laisser croire que la politique des blocs obéissait à un certain parallélisme des contraires. Ce qui fâcherait l'un plairait à l'autre. Erreur. C'eût été trop simple. En vérité, les jeux étaient plus complexes et l'apparence prenait le pas sur la réalité. Ce qui ne gênait personne. Ainsi en fut-il des réactions soviétiques après mon élection. La plupart des commentateurs privilégièrent les raisons de déplorer le départ de M. Giscard d'Estaing sur la satisfaction qu'était supposée devoir leur procurer la victoire de la gauche en France. La *Pravda* se fit l'écho de cette déception. J'ai déjà donné un début d'explication à ce comportement qui n'étonnera que les novices. Ce qui bouge inquiète. On s'était habitué à sept ans d'une présidence française qui avait eu le temps de se créer des amitiés et de se fabriquer des alibis. Par exemple, on avait évité, à Paris, de condamner trop sévèrement l'agression russe en Afghanistan ou de s'inquiéter du déséquilibre des forces nucléaires en Europe. Il était facile de voir que cette mansuétude n'était que simulacre, car les Russes n'ignoraient pas que la France partageait l'opinion de ses alliés occidentaux même si par opportunisme son Président modérait les termes de sa condamnation.

L'Afghanistan, l'installation des fusées en Europe, étaient à l'époque les deux seules questions qui intéressaient vraiment l'empire soviétique puisqu'elles touchaient au rapport des forces entre l'Est et l'Ouest. Le reste n'était que broutilles et danse du ventre. Mais en politique comme en amour les mots ont souvent plus de poids que les choses. De même pour la position récente prise à la conférence européenne de Venise par mon prédécesseur sur les revendications palestiniennes. Les intérêts arabes y avaient pris le pas sur l'amitié avec Israël. Mais l'Union soviétique, traditionnellement pro-palestinienne, avait reçu, comme d'autres reçoivent les saintes espèces, la conclusion de M. Giscard d'Estaing. Elle permettait des communiqués soulignant les progrès dans le monde de la diplomatie soviétique – et l'on sait l'importance qu'avaient ces textes de pure forme pour le monde figé de Moscou. J'ai raconté ailleurs l'extrême minutie qui présidait à l'élaboration de ces documents dont chaque signataire savait qu'ils rejoindraient tout aussitôt les corbeilles à papier. Les Soviétiques arrivaient en séance avec un texte prêt, rédigé jusqu'aux moindres détails. On y parlait de tout ce que l'on avait tu pendant les négociations. C'était le fourre-tout des non-dits. Évidemment, leurs partenaires, moins adaptés à ces méthodes, étaient toujours pris de court et, s'ils émettaient telle et telle réserve, n'en restaient pas moins dans la logique qui leur était proposée et se découvraient, à la lecture du texte final, vaguement consentants à ce qu'ils condamnaient deux heures avant. Ayant pratiqué cette façon de faire lorsque j'étais à la tête du parti socialiste, je fis savoir que désormais je ne me prêterais plus à de pareilles simagrées. Les Soviétiques n'insistèrent pas et la comédie cessa.

Sur ces multiples raisons se greffaient la question palestinienne et les réserves que j'avais émises à ces projets. Les Européens réunis à Venise venaient pour la première fois de reconnaître la revendication palestinienne à l'autonomie. J'avais estimé qu'on avait fait bon marché de la sécurité d'Israël et des moyens de sa défense et l'avais dit. D'autant plus que les Occidentaux avaient reçu une compensation en monnaie de singe. M. Brejnev avait informé M. Giscard d'Estaing du retrait progressif de plusieurs divisions russes d'Afghanistan, ce que M. Giscard d'Estaing avait pris pour argent comptant et claironné sans retenue alors que l'information devait se révéler infondée. J'avais protesté contre cette diversion et les Russes s'en étaient formalisés. Ce n'était pas la première fois que nos points de vue divergeaient sur ce sujet. J'avais dû affronter la mauvaise humeur de l'ambassadeur soviétique à Paris, M. Abrassimov, qu'avait irrité mon insistance pour que fussent accordés des visas à de nombreux Juifs russes candidats au départ. Cela avait fini par agacer. Les Russes étaient même allés jusqu'à annuler une visite prévue du parti socialiste français à Moscou. Je m'étais également associé aux campagnes en faveur d'Alioutch et de Boukovski. Enfin, seul de mon espèce dans le personnel politique français, j'avais approuvé Camp David.

Rien d'étonnant dès lors si mon élection fut accueillie sans feux de joie à Moscou. L'ensemble de mes gestes ne provenait d'aucun esprit systématique d'hostilité à l'encontre d'un pays auquel la France devait beaucoup et dont elle avait le plus grand intérêt à garder l'amitié. Encore fallait-il le faire comprendre. J'y mis beaucoup d'application. J'étais allé l'année précédente à Moscou conduire une délégation et j'avais tenu à réaffirmer ce choix fondamental de notre diplomatie. La délégation soviétique, conduite par Souslov et Ponomarev, avait montré une amabilité qui ne lui était pas coutumière. Tout était peint sur les visages. Et la couleur de ce matin-là était grise.

L'atmosphère se détendit pourtant rapidement. Souslov, avec son visage et sa coiffure de vieux professeur de mathématiques, pratiquait un humour de sa spécialité. À la question : « Pensez-vous que si la France avait disposé d'un régime communiste elle aurait eu plus de pétrole dans son sous-sol ? », il avait réajusté ses lorgnons, gardé quelques instants de silence et, dans un grand rire, réjoui l'assemblée par un sonore et convaincu : « Eh bien ! oui ! » Tout le monde avait ri. Les cheveux en épi autour d'une raie tracée avec soin, Souslov avait continué sur sa lancée et développé le théâtre de l'immense réussite soviétique comparée au piétinement de l'Europe occidentale. Souslov lisait un papier que ses deux voisins corrigeaient au fur et à mesure. Quand il eut terminé son tour d'horizon, je m'aperçus qu'il avait mis beaucoup plus d'insistance sur le différend portugais que sur le conflit afghan et placé Cunhal au premier rang des personnes communistes du moment, n'hésitant pas à menacer quiconque essaierait de faire obstacle à l'éventuelle séparation des Açores et du Portugal, les premières revenant aux États-Unis, le second tombant dans l'escarcelle soviétique. J'en informai aussitôt nos alliés pour qu'ils prissent cette supposition en considération.

L'accueil de Brejnev avait été particulièrement chaleureux. Il avait même vanté mes qualités et exalté mes mérites avec un tel excès de compliments que j'étais resté en arrière de la main. Trop était trop. Les titres et sous-titres du journal *Le Monde* du 12 mai traduisaient fidèlement cet état de choses au lendemain de mon élection : « Washington : désarroi et interrogations. Moscou : embarras et nuances. » On ne pouvait mieux dire.

Il serait excessif d'écrire que les réticences américaines et russes furent compensées par l'adhésion allemande. De ce côté aussi la réserve l'emporta sur l'enthousiasme. Il est vrai que l'enthousiasme n'avait pas lieu d'être présent au rendez-vous. J'avais eu avec le Chancelier Schmidt des difficultés assez sensibles et répétées au sein de l'Internationale socialiste... Je connaissais les rapports personnels d'amitié qui l'unissaient au Président Giscard. Ces bons rapports avaient produit d'heureux effets et contribué à faire avancer la construction européenne notamment grâce à l'autorité nouvelle accordée au Conseil européen et à l'élection des membres du Parlement au suffrage universel. L'amitié entre les deux hommes, la similitude de leurs conceptions avaient facilité la marche en avant de la Communauté et je souhaitais poursuivre dans cette voie même si mes relations avec Schmidt n'impliquaient aucune chaleur particulière. Toujours l'art des titres... *Le Monde* ne s'avançait guère en écrivant : « Satisfaction nuancée à Bonn. »

Une première rencontre entre le Chancelier et moi eut lieu à Paris, le 24 mai. Accent fut mis sur la continuité et le caractère privilégié des rapports franco-allemands. Le Chancelier promit son soutien à la monnaie française et la Bundesbank acheta quelques centaines de millions de francs. Il est vrai que l'économie allemande aurait eu du mal à s'accommoder d'une tempête monétaire qui eût mis le système européen en péril. La *Frankfurter Allgemeine Zeitung* remarqua à ce propos, non sans quelque bon sens, qu'Helmut Schmidt favorisait ainsi les chances en France d'une coalition électorale qui ressemblait fort au Front populaire et qu'il n'avait certainement pas entrepris une telle démarche de gaieté de cœur.

En revanche, et cela n'était pas attendu, je souscrivis – sans avoir à me forcer, car telle était ma conviction depuis longtemps – à la double résolution de l'OTAN sur les euromissiles. La double résolution signifiait que les alliés occidentaux y installeraient des fusées à moyenne portée aux dépens de l'Union soviétique jusqu'à ce que celle-ci amorçât son propre retrait. Je m'écartais par là de l'attitude traditionnelle de notre diplomatie, qui estimait – à juste titre – que la France n'était pas directement intéressée par le sujet, puisque extérieure à l'organisation militaire intégrée. J'apportais cette approbation non par souci d'équilibre, mais parce que j'estimais qu'il s'agissait là d'une question majeure et que la France, quel que fût son statut, n'avait pas à se tenir à l'écart des conditions nécessaires à l'équilibre

européen. Cependant j'avais précisé, lors d'une conférence de presse, que j'attendais quelque chose de plus
des Soviétiques, le gel des armes de théâtre laissant à
ces derniers, avec leurs deux cent vingt-cinq SS20, une
supériorité indéniable.

Mes relations avec Schmidt devaient par la suite
s'assouplir. Mais je me souviens de sa façon d'être, lors
du Conseil européen, brutale, agressive, qui carrait son
visage et donnait à son regard un éclat toujours furieux.
Il parlait la tête appuyée sur un coude et sortait toujours de sa poche de veste des papiers en vrac qu'il
jetait sur la table et qui avaient tous pour objet de
souligner l'énormité des sacrifices financiers consentis
par l'Allemagne fédérale à l'Europe. Mme Thatcher
m'adressait des clins d'œil mi-sérieux, mi-malicieux...
Helmut Schmidt donnait l'impression d'être toujours
en colère. Son visage rougissait sous ses cheveux blancs
à la seule idée qu'on pût alourdir ses charges. Mais
l'accalmie succédait à la tempête. Car Schmidt était
profondément, passionnément européen et veillait avec
un extrême soin à ne jamais déborder les limites.

Je lui vis peu à peu un autre visage. Celui qu'il me
réservait dans sa petite maison de Hambourg quand il
s'installait au piano et jouait avec art et sensibilité les
lieder allemands. L'atmosphère de cette maison était
calme, tranquille, faite de rythmes, de rêverie.
Hanne-Lore Schmidt, sa femme, peignait pendant ce
temps sur porcelaine des fleurs que sa qualité de bota-
niste cherchait à rendre – et elle y réussissait avec art
et exactitude. Je conçois que Giscard se soit emballé
pour cette mécanique intellectuelle qui ressemblait à la
sienne, peut-être plus sensible, plus portée à l'intérêt

général, vers les grandes orientations d'un monde nouveau à construire à partir des ruines où se débattaient
nos pays. J'en parlais avec Schmidt au cours de nos
promenades le long des quais de sa ville que le bruit
et l'animation des navires rendaient à son ancienne
vocation. Schmidt, la casquette de la Hanse vissée sur
le crâne, appartenait à ce monde-là. Il en était l'expression, l'interprète, il allait en tête d'un peuple mar-
chand. Je n'ai pas oublié l'espèce de stupeur qui
s'empara de lui quand, au cours du sommet de mai,
j'entamai un développement sur le danger qu'il y avait
à faire la Communauté financière économique, si l'on
n'avançait du même pas l'Europe des hommes,
l'Europe sociale que je qualifiai pour la première fois
d'espace social européen.

Je passe sur les commentaires de la presse arabe. Ils
furent défavorables en raison surtout de la perspective
du voyage en Israël que j'avais moi-même annoncé. Ce
raidissement prévisible ne m'en causait pas moins une
grave préoccupation. Je tenais l'amitié arabe pour l'un
des piliers de la politique française, mais je ne voulais
pas que cette amitié fût fondée sur l'injustice à l'égard
d'Israël et je ne pouvais me satisfaire du boycott dont
étaient victimes les intérêts industriels et commerciaux
de ce pays. D'autre part, je comptais user de l'autorité
que me conférait ma nouvelle fonction pour faciliter
une détente au Proche-Orient, condition à mon avis
indispensable pour la paix dans le monde. Le plus sage
était donc de prendre mon temps et de veiller à ce que
mon langage fût strictement et constamment le même
à l'égard des deux camps. La bonne foi, pensais-je, finirait par l'emporter.

Mais quand les événements accélèrent l'allure, ils vont vite : Claude Cheysson qualifia les conclusions de Venise d'absurdité. La polémique qu'engendra ce mot alla s'amplifiant. Les réactions arabes furent nombreuses et fortes. L'expression la plus vive vint des associations islamiques des États-Unis et du Canada qui n'hésitèrent pas à accuser la France de vouloir réarmer Israël : « Votre visite est un blasphème à l'égard de la France et de son rôle en matière de défense des Droits de l'homme. C'est un blasphème à l'égard d'un pays qui, il y a quelques années, était encore sous l'occupation nazie. Nous vous demandons de reconsidérer votre position et votre nouvelle animosité contre tous les musulmans et les Arabes du monde. » Ce langage excessif tomba à plat. Je fis savoir que ma décision était prise, que je n'y reviendrais pas, que la France irait partout où elle voudrait sans estampille de personne.

J'eus moins de soucis avec les États d'Afrique noire qui, sans exception, virent dans mon élection, selon l'expression de Senghor, la fin d'un certain état d'esprit colonial. D'Espagne me vinrent, aussi bien de la part du Roi, du gouvernement et de l'opposition, alors dirigée par Felipe Gonzáles, des témoignages d'amitié et d'encouragement. Il est vrai qu'en refusant leur entrée dans le Marché commun M. Giscard d'Estaing avait réussi à rassembler les Espagnols dans une condamnation unanime de la France. Au Portugal, je pouvais compter sur l'ancienne et forte amitié qui me liait à Mario Soares. Quant à Mme Thatcher, présidente en titre du Conseil européen, si elle se rassurait à la pensée que je n'adhérais pas à l'idée d'une Europe à deux vitesses, elle n'en continuait pas moins à s'inquiéter d'une dérive possible de la politique économique française loin des rivages monétaristes de son ami Reagan. Helmut Schmidt et Margaret Thatcher se rencontrèrent à Chequers le 12 mai. Ils convinrent, devant la nouvelle donne française, de mettre une sourdine à leurs querelles traditionnelles. Schmidt avait l'obsession d'un retour en force de l'inflation. La politique française à cet égard l'inquiétait au point d'oublier que l'Europe ne se ferait pas avec des pourcentages monétaires. Cette position de Schmidt ravissait Margaret Thatcher qui brûlait de tendresse pour les théories de Friedman et collait au plus près aux initiatives de Reagan. Les mots « pensée unique » n'ont jamais été plus exacts qu'à ce moment. Mais la pensée unique n'avait guère d'importance par rapport au consensus social de l'obsession monétaire. Deux expressions alors peu connues sont passées dans le langage : la pensée unique et la mondialisation des problèmes. À l'époque que je rapporte, la pensée unique tenait l'Amérique et ne voulait pas sortir des portes étroites de l'économie. Surtout pas d'inflation.

Je terminerai ce rapide tour d'horizon en évoquant l'attitude chinoise. Je m'étais rendu dans ce pays trois mois plus tôt et j'avais pu renouveler mes relations avec les principaux dirigeants du moment, au premier rang desquels Deng Xiaoping. Les Chinois avaient été très hostiles au déploiement des SS20 et s'inquiétaient de tout ce qui pouvait troubler la cohésion du monde occidental, meilleur rempart à leurs yeux contre les tentations russes. On voit que j'abordais une étape difficile de mes responsabilités politiques. Mais cela n'étonnera personne. Et je n'en fus pas surpris moi-même.

Cette disposition d'esprit générale de nos principaux partenaires ne pouvait qu'alourdir le climat dans lequel se débattait le franc. Déjà depuis le mois d'avril, la hausse du dollar qui découlait des taux d'intérêt élevés aux États-Unis étouffait notre monnaie. Le 11 mai, ce fut la panique à la Bourse. Les cotations furent suspendues pour quarante-huit heures, faute d'ordre d'achat. En quelques jours la baisse atteignit vingt pour cent, et le franc tomba à son plancher au sein du système monétaire européen. Du 10 mai à ma prise de fonctions, le 21, nous perdîmes quelques milliards de devises. Raymond Barre démissionna le 13 mai. Nous perdîmes encore dans les jours suivants cinq autres milliards de dollars. Il fallait agir vite. Je nommai Pierre Mauroy Premier ministre le 21, dissolus l'Assemblée nationale le 22 et formai dans la foulée le nouveau gouvernement.

Le jour de mon investiture, dans la voiture qui remontait les Champs-Élysées, Pierre Mauroy me fit part de la situation et me confia ses inquiétudes. Je m'opposai à toute dévaluation, désireux de ne pas ancrer dans l'esprit public l'idée dont n'avait pu se démarquer le Front populaire que l'arrivée de la gauche au pouvoir était synonyme de débâcle financière. Mais nous procédâmes à un renforcement draconien du contrôle des changes et portâmes le taux directeur de la Banque de France à vingt-deux pour cent.

La visite du Chancelier Schmidt et notre accord sur la solidarité monétaire franco-allemande mirent un frein à la débandade. Je décidai également de recevoir les principaux responsables du patronat et des syndicats. Je n'attendais pas de ces dispositions un brusque coup d'arrêt à nos difficultés, mais je pensais que l'affirmation de notre volonté créerait les conditions du redressement. Et pour marquer que les spéculateurs ne gagneraient pas la guerre des nerfs, j'engageai dès le 3 juin les premières mesures sociales prévues par mon programme en fixant le SMIC à deux mille francs par mois.

À la suite des mesures monétaires annoncées par Pierre Mauroy, la tourmente financière commença de s'apaiser. Ce qui n'empêcha pas la presse allemande d'adopter, dans son ensemble, un ton alarmiste : menace sur l'équilibre du système européen, fin de la stabilité du franc. C'est dans cet état d'esprit que s'engagea le trente-huitième sommet franco-allemand à Bonn les 12 et 13 juillet. Sous le titre « Double accord franco-allemand pour la défense du franc et sur les euromissiles », une dépêche d'agence assura que les autorités allemandes soutiendraient le franc. Une source, française celle-là, précisa même que le Chancelier avait abordé la question de lui-même dès le début de l'entretien. Pendant ce temps, en France, certains milieux tentaient de semer la panique. Nombreux furent les possédants à transférer leurs avoirs à l'étranger et même, se donnant plus d'importance qu'ils n'en avaient, à émigrer avec leur famille. Laissons-les à leur courte honte. L'un d'entre eux, M. Guy de Rothschild, a écrit là-dessus un livre édifiant. Pour faire bonne mesure, j'accordai une interview au journal *Stern* qui se voulait embarrassante et n'éludai aucune réponse. Je mis les points sur les « i » : « J'espère qu'aux relations privilégiées entre nos deux pays s'ajouteront des relations personnelles de bonne qualité entre les dirigeants. » La grande affaire de l'après-guerre en Europe, c'était la réconciliation franco-allemande. Que nous ayons réussi à surmonter nos antagonismes avait constitué un facteur majeur de la construction de la Communauté. Cette donnée fondamentale inspirait la politique que j'entendais mener.

J'avais participé en 1947, à La Haye, au premier congrès européen de l'Histoire. Je demeurais fidèle à cet engagement. Une « source allemande » ajouta que les deux interlocuteurs, tout en s'inquiétant autant l'un que l'autre des taux d'intérêt américains très élevés, avaient estimé nécessaire de poursuivre leurs efforts pour éviter la divergence des économies européenne et américaine et pour harmoniser la politique économique et monétaire au sein de la Communauté ; que j'avais en outre demandé que fussent perpétués les liens qui nous unissaient et les accords qui régissaient ces relations, c'est-à-dire la pratique des sommets franco-allemands bisannuels en application du traité de coopération de 1963. Je le fis en ces propres termes : « Depuis de longues années l'Allemagne et la France entretiennent des relations privilégiées qui n'ont pas à être isolées du développement général de l'Europe du Marché commun mais qui supposent la discussion de problèmes particuliers de grande importance et qui déterminent pour une part le devenir de la politique mondiale. » Ainsi les relations entre l'Allemagne et la France se poursuivirent-elles sur un mode apaisé. On notera seulement l'évolution du vocabulaire. Elle n'était pas insignifiante, mais ne modifiait en rien le fond des choses.

C'est à ce moment que survint la première grave crise internationale que j'eus à affronter et qui devait en précéder bien d'autres. Le 7 juin, sur l'ordre du Premier ministre israélien, Menahem Begin, l'aviation israélienne bombarda et détruisit pour partie la centrale nucléaire de Tammouz, en Irak, composée de deux réacteurs fournis par la France. Le premier d'entre eux était apparemment indemne. Le second, qui ne contenait pas de combustible, avait été sérieusement endommagé, mais se trouvait « hors neutron ». Il s'agissait d'installations comme il en existait une cinquantaine d'autres réparties dans le monde et destinées à des recherches physiques en vue de l'utilisation de l'énergie nucléaire. Ces installations étaient placées sous le contrôle de l'Agence internationale de l'énergie atomique (AEIA) qui avait effectué sa dernière visite au début de l'année. L'Irak avait signé le traité de non-prolifération et accepté par là le contrôle de l'AEIA. Dès mon entrée en fonction, j'avais insisté sur les mesures indispensables à prendre pour garantir l'utilisation de ces installations à des fins pacifiques et éviter tout détournement. L'accord nucléaire de coopération franco-irakien datait du 18 novembre 1975 et avait été signé par le ministre de l'Industrie et de la Recherche français de l'époque, M. Michel d'Ornano, à Bagdad. En août 1986, une polémique devait opposer M. Chirac et M. Giscard d'Estaing à la suite d'un entretien entre l'ancien Premier ministre et le journaliste israélien Ben Porat. M. Chirac dénia toute responsabilité dans cette affaire qui, selon lui, avait été traitée directement par MM. d'Ornano et Giscard d'Estaing.

Techniquement, le réacteur Tammouz était une réplique du réacteur français Osiris, d'une puissance de soixante-dix-huit mégawatts, et se situait tout en haut de la gamme des réacteurs de recherche. Son coût était de un milliard et demi de francs. La construction avait démarré en 1977. Au début de 1980, une première charge de combustible (douze kilos d'uranium) avait été livrée. Une note des Affaires étrangères du 14 mai 1981 indiquait qu'au rythme de sa progression Tammouz serait prêt à fonctionner dans le courant de l'été, tout en signalant trois dangers : l'uranium très enrichi pouvait être directement utilisé pour des explosions ; les soixante-seize kilos livrés suffisaient à fabriquer des bombes. À partir d'uranium naturel que l'on pouvait acquérir n'importe où, l'Irak était en mesure de fabriquer du plutonium. Plusieurs centaines de scientifiques formés sur place offraient à l'Irak le moyen de lancer un programme nucléaire militaire autonome. Contre ces risques le gouvernement français avait multiplié les précautions juridiques et techniques sans pouvoir garantir à cent pour cent leur efficacité.

Est-ce cette part d'incertitude ou des informations nouvelles qui conduisirent M. Begin à déclencher l'opération sur Tammouz ? À Paris, la surprise ne fut pas totale. Une note des Affaires étrangères m'avait signalé les dangers courus au lendemain de mon élection. On y relevait l'avertissement suivant : l'administration sortante nous léguait un dossier lourd de mensonges, d'aveuglements, d'inconséquences où s'entremêlaient les responsabilités d'un certain nombre de dirigeants tant au niveau technique que proprement gouvernemental. Des choix cruciaux approchaient. Dans quelle direction s'engager ?

Circonstance aggravante : un ingénieur français avait

été tué au cours de l'opération. Pierre Mauroy avait publié une déclaration sur le caractère inacceptable du raid israélien. Toute attaque sur le territoire d'un État étranger constituait une violation du droit. Cette condamnation verbale n'entraîna pas dans l'immédiat d'autres conséquences. On estimait à un minimum de trois ans la remise en état des installations. Menahem Begin prenait un malin plaisir à multiplier les vexations à l'égard de la France, se gardant de répondre aux questions qui lui étaient posées par notre ambassade alors qu'il avait jugé bon de fournir des explications à Ronald Reagan.

Cette virulence et ce manque d'égards avaient de quoi étonner de la part d'un Premier ministre que sa culture et ses inclinations portaient à aimer et à respecter notre pays. Il est vrai que son tempérament le dominait : intellectuellement remarquable, mais farouche et déterminé dans ses décisions, il aurait sa place dans la galerie des prophètes vitupérants qui ont rituellement animé la scène juive. J'entretenais jusqu'alors avec lui d'excellents rapports. À l'occasion d'un de mes voyages à Jérusalem, il m'avait reçu avec une extrême cordialité. De là était née une correspondance qui ne laissait pas entrevoir la suite. J'avais beaucoup de considération pour lui. Opposant obstiné, nationaliste intraitable, passionné de lectures. J'ai été peiné par sa fin, la mort de sa femme, sa retraite ombrageuse, son éloignement volontaire de toute manifestation du monde extérieur, son repli sur soi-même auquel a pris pour une part que j'ignorais le sentiment religieux. Son souci quasi mystique de la sécurité d'Israël avait, je le crois, obscurci son jugement. Tammouz en est l'exemple. Avec la guerre et l'occupation du Liban quelques semaines plus tard, il poussa sa propre logique jusqu'à la passion, et la passion n'a jamais été un bon guide pour les peuples. Commença alors un ballet aux figures multiples qui revenaient toujours au même pas de deux. Aller ou non en Israël ? Je m'y étais engagé et je souhaitais que la France donnât le signal de relations apaisées avec cet État. Mais l'Histoire a ses malignités. La destruction de Tammouz m'interdisait la proximité d'un voyage qui eût pris l'air d'une approbation. Ne pas y aller aggravait la brouille. Je décidai de le reporter. Mais ce ne fut pas de tout repos. Le 26 novembre 1984, j'informai Claude Cheysson que je comptais partir pour Tel-Aviv du 10 au 12 février de l'année suivante. Là-dessus, Claude Cheysson critiqua durement le contenu des déclarations de la conférence européenne de Venise et marqua le début d'une polémique qui alla s'amplifiant dans les pays arabes. Je n'étais pas loin de penser comme Claude Cheysson, mais celui-ci employa le langage raide qui lui était coutumier – une absurdité, aurait-il déclaré. Il fallut de nouveau remettre l'ouvrage sur le métier. Dans une interview donnée à Pierre Desgraupes, j'avais annoncé : « Ce que je dirai à Jérusalem, je l'ai dit à Riyad, je l'ai dit à Alger, je l'ai dit à Rabat, à Amman. Ce même langage, c'est qu'Israël a le droit d'exister. Cet État a été reconnu par les Nations unies comme lui sont reconnus son Histoire et le courage de son peuple. »

Mais le calendrier jouait contre nous. Chaque jour qui passait apportait son lot de déclarations outrancières qui, s'ajoutant l'une à l'autre, finissaient par créer un climat détestable entre la France et les pays arabes. Cela allait à l'encontre de mes intentions. Avais-je eu trop confiance en ma propre diplomatie ? Avais-je agi à contretemps ? Une dépêche de notre ambassadeur en Jordanie m'alerta suffisamment pour que je procède à cette introspection sans éluder aucune interrogation. Naturellement, chaque déclaration d'un responsable était l'objet des plus fantaisistes commentaires. De ce point de vue, les exégètes arabes ne manquaient pas d'imagination. Les Israéliens non plus. Chacun plaidait pour son saint. Il devenait inutile et dangereux de s'empêtrer dans les démentis et les contre-démentis.

M. Klib, secrétaire général de la Ligue arabe, révéla à l'issue d'un entretien supposé confidentiel mon intention de remettre à plus tard la date de ce voyage tant discuté. Imprudemment, le Quai d'Orsay inséra dans le texte de son compte rendu la phrase suivante : « Les conséquences éventuelles de l'évolution de la situation dans cette région du monde seront appréciées à l'issue des débats qui doivent se poursuivre début janvier aux Nations unies. » Encore une complication. Cette remarque fut aussitôt interprétée, côté israélien, comme faisant dépendre ma décision de l'appréciation du Conseil de sécurité, peu disposé à se montrer favorable à Begin, surtout au lendemain de l'occupation du Golan. J'avais d'autre part négligé de réciter les rites obligatoires en pareille matière, d'égrener le moulin à prières hors duquel la diplomatie perd aussitôt ses repères. Puissance des mots ! J'apprendrai vite cette rude leçon. Tout est codé. J'apprendrai aussi le plaisir qu'il y a à violer ce code. Mais je devrai d'abord faire mon apprentissage.

J'avais estimé que les risques d'une décision encore retardée seraient pires que les inconvénients désormais répertoriés du voyage. Begin m'avait fait connaître son désir de me voir au plus tôt. Une longue entrevue nous réunit dans son bureau, le lendemain de mon arrivée à Tel-Aviv. Nous étions dans une petite salle aux murs bourrés de cartes qui toutes, à diverses échelles, dessinaient la frontière israélo-libanaise. Une règle à la main, Begin soulignait les facilités données à toute agression venant du Nord, à cause du relief et des petites distances. Il était vrai que la population de cette région d'Israël était à la merci d'une attaque soudaine et rapprochée. Or les intentions des Syriens, des Iraniens et des milices libanaises obligeaient Israël à durcir ses précautions. La conclusion de ce discours annonçait une nouvelle guerre.

Connaissant les relations entre la France et le Liban, Begin prit la précaution de me préciser que là s'arrêtaient ses plans et qu'il n'avait pas l'intention de dépasser une ligne qui se situait au nord de la frontière officielle et à moins de quarante kilomètres de Beyrouth. Je soulignai le grave danger couru par Israël même, avec une Syrie peu disposée à le laisser maître du jeu au Liban, et un Iran qui attisait les discordes internes et encourageait le Hezbollah à multiplier les opérations terroristes.

Mais malgré la célèbre formule de De Gaulle, les idées simples cessaient vite de l'être à l'approche de l'Orient compliqué. L'assassinat d'Anouar el-Sadate devait à ce moment précis casser les plans les mieux établis. On se souvient de ce défilé militaire organisé au Caire pour célébrer les victoires égyptiennes sur les forces israéliennes. En pleine cérémonie, gueules de canon et mitrailleuses crachèrent leur feu dans l'axe de la tribune officielle, tuant ou blessant plusieurs diplomates, officiers de l'entourage de Sadate et Sadate lui-même. On imagine la confusion qui s'ensuivit. La famille de Sadate avait échappé à la tuerie. Mais le Vice-Président Moubarak, venu me voir à Paris quelques jours auparavant, avait reçu plusieurs blessures au bras et à la main.

Les obsèques eurent lieu, selon l'usage, dès le lendemain. La délégation française était assez nombreuse. Valéry Giscard d'Estaing avait décliné l'invitation que je lui avais faite de voyager dans mon avion. Une foule bigarrée attendit des heures sous des tentes de fortune. Puis le cortège se mit en marche. Il y avait là des représentants du monde entier. Je marchais bras dessus, bras dessous, le soutenant de mon mieux, avec le Président italien Alessandro Pertini. Comme dans une bulle derrière leurs gardes, les trois anciens présidents américains, Nixon, Ford et Carter, avançaient en crabe. Tout le monde errait, rendant la progression inutile. De temps à autre, on entendait tirer. La procession s'aplatissait dans la poussière, se relevait hagarde et reprenait sa route. On distinguait mal les coups de feu des hurlements. Le corps de Sadate reposait sur un fût de canon. Depuis l'aéroport tout était bouclé, fenêtres closes. Les soldats de garde tournaient le dos, surveillant l'extérieur, c'est-à-dire le désert. Les officiers fouillaient les soldats. Plusieurs heures furent nécessaires pour parvenir au mémorial hâtivement dressé. Les tribunes étaient restées dans l'état où les avait laissées le drame. Pour saluer Mme Sadate on marchait dans les flaques de sang qui n'avaient pas encore été effacées. Les condoléances furent brèves, puis j'allai au rendez-vous que Moubarak m'avait fixé dans sa résidence. La ville était figée dans la stupeur. L'envergure de Sadate, les rivalités entre les héritiers de Nasser, soulignaient le vide qui venait de se creuser dans cette région déjà dévastée. J'avais eu peu de contacts avec Sadate qui avait joué sa carrière, son ambition et sa vie sur le coup d'audace qui l'avait porté à Jérusalem à la tribune de la Knesset. Je l'avais rencontré plusieurs fois, et c'est à lui que je devais d'avoir lié connaissance avec Yasser Arafat au cours d'un déjeuner à trois au Caire. Il m'avait frappé par la beauté de son visage comme décalqué d'un vase nubien. Son esprit était hanté de rêves et de symboles. Il m'avait décrit avec ferveur le lieu, juste au carrefour des vallées qui aboutissent à Sainte-Catherine, où il comptait bâtir sa maison et se retirer, là où se rencontraient les grandes spiritualités orientales. La mort s'était chargée, comme d'habitude, de déranger l'ordre imaginaire des vivants et de mettre à bas les belles constructions de l'Histoire. La mort n'exerce pas de droit de suite. Les yeux qui se ferment à jamais enclosent des mondes anéantis. Pourquoi relier les uns aux autres ? Un vain sentiment de durée peut-être.

Le duel, le duo oratoire Sadate-Begin m'avait passionné. Le spectacle du Président égyptien debout à la tribune de la Knesset me paraissait sorti d'un récit légendaire. En dépit de l'estime que je portais à Begin, celui qui avait atteint les hauteurs de l'Histoire, c'était Sadate. La réponse de Begin m'apparut comme l'argumentaire d'un robin privé du souffle qu'attendaient, qu'espéraient les millions de téléspectateurs du monde entier. Malheureusement, la méfiance l'emporta. Peu d'hommes sont capables de croire à la grandeur et à la vérité. Il y eut comme une rupture dans la baisse de ton qui s'instaura dans ce dialogue. Terrible obligation du politique que de se sentir contraint de choisir la médiocrité quand l'avenir ouvre ses portes.

Il ne sortit pas grand-chose de cet incroyable événement. Du moins dans l'immédiat. Puis s'engagea l'habituel cérémonial des après-complots. Procès, pendaisons, suspicions, disgrâces. La famille de Sadate fut accusée de corruption. Ses proches furent poursuivis. L'Égypte eut la chance d'avoir à sa tête, avec Hosni Moubarak, un homme ennemi des excès, dont le bon sens l'emporta sur le goût de vengeance. Ce qui eût pu entraîner l'Égypte dans le tourbillon des guerres civiles s'apaisa. Les associations intégristes furent dissoutes ou se dispersèrent. Le monde arabe gardait en son centre un pivot qui sut résister aux extrémismes. Cela fut d'autant plus difficile que la plupart des Arabes, qui ne pardonnaient pas à Sadate l'extrême audace de son initiative, considéraient sa mort comme un juste châtiment et boycottèrent l'Égypte, ses productions et ses élites pendant encore de longues années.

PIÈCES À L'APPUI

SORTIR DE YALTA *

« L'Europe, telle qu'elle se dessine aujourd'hui, c'est l'Europe héritière de la dernière guerre mondiale et des rapports de forces qui se sont créés. C'est une séparation au fond artificielle qui ne correspond à rien, ni à la géographie, ni à l'histoire, ni à la culture. Mais c'est un rapport de forces établi à un moment donné et qui dure encore. Personnellement, j'ai souvent dit qu'il serait très heureux pour l'Europe qu'elle se dégageât un jour de ce que j'ai appelé l'Europe de Yalta, même si cette expression mérite un examen plus approfondi. Enfin, ce qu'elle désigne pour l'opinion, c'est ceci : l'Europe coupée en deux, avec une influence prédominante d'une part de l'Union soviétique, d'autre part des États-Unis d'Amérique. Moi, je crois ou j'espère en l'indépendance de l'Europe. Je souhaite qu'elle s'unifie. Je suis très partisan de la Communauté économique européenne, je souhaite qu'elle aille davantage vers une unité politique, le cas échéant vers une unité de défense.

* Interview accordée à la télévision de République démocratique allemande, *palais de l'Élysée, 6 janvier 1988*. Extraits.

Mais je pense que ce serait une vue exagérément courte, privée ou démunie de tout sens historique que de ne pas considérer l'Europe dans sa réalité entière. Nous avons à bâtir des accords étroits, quel que soit notre système économique et social, entre les pays dits de l'Est et les pays dits de l'Ouest. Ne nous enfermons pas dans des catégories qui nous interdiraient un dialogue, des échanges et finalement des perspectives politiques communes. Jamais je ne souscrirai à une politique qui fermerait la porte à cette espérance-là, l'espérance à laquelle je travaille.

Je suis clair, nous avons nos amis, nous avons nos alliés, nous avons ceux qui appartiennent à la même communauté que nous, en particulier la république fédérale d'Allemagne, mais je veux qu'on ouvre les portes et non pas qu'on les ferme. »

L'AVENIR DE L'ALLEMAGNE *

Comment envisagez-vous l'Allemagne dans le futur ?

Votre question est trop générale pour que je puisse y répondre maintenant.

Est-ce que vous pensez qu'il y a une démarche pour la réunification de l'Allemagne ?

Assurément. Réunifier l'Allemagne est la préoccupation de tous les Allemands. C'est assez compréhensible. Ce problème posé depuis quarante-cinq ans gagne en importance à mesure que l'Allemagne prend du poids : dans la vie économique c'est fait, dans la vie politique c'est en train de se faire.

La république fédérale d'Allemagne pourrait-elle être tentée de regarder plus à l'Est que dans les pays de la Communauté ?

Une sorte de bascule allemande vers les pays de l'Est ? Je ne le pense pas. Que l'Allemagne fédérale veuille entretenir

* Interview accordée au *Nouvel Observateur, The Independent, El País, La Repubblica, Die Süddeutsche Zeitung, Paris, 27 juillet 1989*. Extraits.

de meilleures relations avec l'Union soviétique et les pays qui l'entourent, qui s'en étonnera ? La géographie et l'histoire les y poussent. Je ne vois pas là matière à scandale. L'Allemagne n'a pas intérêt à renverser ses alliances ni à sacrifier sa politique européenne pour une réunification à laquelle l'URSS n'est pas prête ! Elle n'en a pas l'intention non plus, du moins je le crois.

Vous en avez parlé avec le Président Gorbatchev ?

L'aspiration des Allemands à l'unité me paraît légitime. Mais elle ne peut se réaliser que pacifiquement et démocratiquement.

Mais le veto soviétique est le même selon vous ?

Je ne sais si on peut appeler cela un veto. Reportez-vous au texte du communiqué publié à l'issue de la rencontre à Bonn entre MM. Gorbatchev et Kohl. Il me semble avoir perçu que l'amélioration du climat entre les deux pays n'entraînerait pas de modification de fond dans leur diplomatie.

Pourriez-vous imaginer que la question allemande se règle sans l'accord de tous les pays européens ?

Non. Pas en dehors des puissances qui ont la charge de veiller actuellement à l'application des traités et à la sécurité de l'Allemagne fédérale. Il est juste que les Allemands aient la liberté de choix. Mais le consentement mutuel de l'Union soviétique et des puissances de l'Ouest supposera un vrai dialogue.

La discussion qui a été relancée avec la visite de M. Gorbatchev en Allemagne sur le droit des peuples à disposer d'eux-mêmes n'est-elle pas un premier pas vers une solution ?

Ce qui est certain, c'est que ce droit indéniable n'entrera pas dans les faits aux forceps – pour employer une expression médicale. Il faudra d'abord que les deux gouvernements allemands soient d'accord. Aucun des deux pays allemands ne peut imposer ses vues à l'autre. Cet aspect interallemand est fondamental. Et les dirigeants d'Allemagne fédérale, ceux que j'ai rencontrés, n'ont jamais prétendu obtenir l'unification en accroissant les tensions internes de l'Europe.

La République fédérale n'essaie-t-elle pas de jouer un rôle particulier, ce que l'on a appelé le Sonder Weg, *qui se tourne plus vers la* Mittel-Europa *et l'Union soviétique, voire qui se laisse tenter par le neutralisme ?*

Les bons observateurs de l'Allemagne fédérale notent, en effet, un réel mouvement de l'opinion. Mais rien ne permet de dire que les responsables politiques élus, le gouvernement, le Chancelier aient changé de position. D'autant plus que la politique européenne de la République fédérale au sein de la Communauté des douze continue d'être active. Dois-je répéter ce que je vous ai déjà répondu sur la situation géographique de l'Allemagne, sur son passé historique ? La France est portée à mener une politique méditerranéenne parce qu'elle a une fenêtre ouverte vers la Méditerranée, l'Afrique et le Proche-Orient. Qui pourrait reprocher à l'Allemagne d'avoir un regard sur l'Est, sur la Pologne, l'Union soviétique, la Tchécoslovaquie ? L'Allemagne redevenue une grande puissance économique, une des plus importantes du monde, souhaite naturellement voir son rôle politique grandir. Rien de tout cela ne me surprend. J'intègre cette donnée à l'idée que je me fais de la politique européenne et mondiale ; cela m'incite du même coup à renforcer les moyens et la présence de la France dans le concert des nations.

PREMIÈRES RÉFLEXIONS
SUR LES BOULEVERSEMENTS À L'EST *

« Chacun s'accordera à dire que l'événement le plus important pour l'Europe, peut-être pour le monde, depuis la dernière guerre mondiale, c'est ce qui se passe en Europe de l'Est. Nous avons vécu pendant près d'un demi-siècle dans le cadre d'un ordre qui se défait sous nos yeux. C'était l'Europe de Yalta, expression consacrée même si elle n'est pas historiquement exacte. L'Europe coupée en deux ou en trois : l'Europe des blocs et des systèmes. Nous n'en avons pas fini avec elle. L'Histoire n'est pas un fleuve tranquille. Mais verser d'un équilibre à l'autre, comme cela se passe aujourd'hui, implique des transitions heurtées, des retours en arrière, des troubles et des crises. Y sommes-nous préparés ?

L'ordre ancien nous était connu. Nous vivions avec. Il avait trouvé ses marques, diraient les sportifs, ses règles, diraient les juristes, ses habitudes, tout simplement. L'équilibre nouveau, essentiellement désirable, supposera une

* Discours devant le Parlement européen, *Strasbourg, 25 octobre 1989*. Extraits.

somme d'imagination, de volonté, d'efforts et de continuité que peu de générations ont connue avant nous. Cet équilibre sera multiple. Aux questions qui seront posées il n'y aura pas de réponse unique. Bref, ce sera plus compliqué. Mais quel élan et quel espoir ! Comme aux grandes heures de 1789, c'est le peuple dont la clameur se fait entendre. C'est la détermination du peuple qui commande à l'événement qui fait s'écrouler les murs et les frontières. C'est le peuple qui trace le chemin par où passera ce siècle finissant, par où s'engageront les temps futurs. Voilà la grande nouvelle. De nouveau, les peuples bougent et, quand ils bougent, ils décident.

Au nom de quoi ? De la liberté, la liberté tout simplement. Celle de vivre, de penser, d'agir, de servir ou d'aimer. Deux pays se détachent en avant-garde de ce mouvement, la Pologne et la Hongrie. Mais observons cependant que cela n'est possible que parce que l'Union soviétique connaît et accepte, du moins ses dirigeants, une évolution qui la précipite elle-même dans de nouvelles difficultés ; qui, loin de la claire démarche qui lui était offerte dans l'ordre ancien, la conduit désormais, et d'un pas incertain, vers des lendemains dont on ne sait s'ils chanteront.

M. Gorbatchev tient ici un rôle éminent, historique ; il faut l'aider. Je sais que les stratèges, un peu partout, supputent ses chances de succès et déjà décident que ce serait peut-être plus habile de traiter avec son successeur. Nous savons ce que nous avons. Nous ne savons pas ce que nous aurons. Les Soviétiques non plus. Aider quand on le peut, comme on le peut. Mais aider, contribuer sans prétendre se substituer, bien entendu, aux autorités de ce pays ni assumer les responsabilités qui ne sont pas les nôtres. Nous devons aider à ce que toutes les chances existent, seraient-elles faibles. Je crois à la volonté des hommes. Je crois à leur maîtrise sur le destin et j'observe que beaucoup de

courage est dépensé là-bas, même si les abîmes se multi-
plient devant les pas. Comment faire assimiler à des peuples
innombrables et divers le changement de discipline ?
Comment éviter que la liberté nouvellement acquise ne soit
comme l'ouragan qui arrache tout au passage, au risque de
détruire ce qu'il serait bon de préserver ?

La situation est différente selon les pays. Voyez les affres
de l'Allemagne de l'Est, et pourtant les Allemands de l'Est
ont un pouvoir d'achat supérieur à quelques pays membres
de la Communauté. Ce n'est donc pas la misère qui les
pousse à la révolte. C'est quelque chose d'autre qu'on a
déjà nommé : l'espérance de la liberté.

Et voilà que rien ne résiste, ni les systèmes les plus
fermes, les plus durs, ni une histoire déjà ancienne, ni une
tradition idéologique forte, ni un système de pensée cohérent. Voilà que tout s'en va, parce que vient quelque chose
d'autre et ce quelque chose, c'est ce que nous avons la
chance, nous-mêmes, de posséder. C'est la liberté.

Nous voyons ce mouvement en Allemagne de l'Est, mais
comment penser un instant que les autres qui n'ont pas été
nommés résisteront ? Et que le problème ne se posera qu'à
Varsovie ou à Budapest ?

Le Chancelier Kohl, avec lequel je dînais hier soir à Paris,
me disait : " Lors des manifestations hongroises en faveur
de la République nouvelle, il y avait une banderole au premier rang, et sur cette banderole était écrit ' La Hongrie a
retrouvé l'Europe '. " Veillons à ce qu'elle la retrouve,
comme il convient. C'est contagieux. D'un pays à l'autre,
d'une capitale à l'autre, dans toute cette Europe-là, le mouvement suivra la même direction, connaîtra aussi les mêmes
contradictions, subira sans doute les mêmes coups de frein.
Rien n'est écrit d'avance. Tout est écrit cependant sur la
distance. Souhaitons que cette page d'écriture soit rapidement terminée et nous y pouvons quelque chose ! Voyez

pour ce qui touche à l'aide à la Pologne. Ce sera le seul cas concret que je traiterai. Qu'est-ce qu'il faut ? Des aides immédiates. La France a décidé durant ces quarante-huit dernières heures, spécialement ce matin dans son Conseil des ministres, d'augmenter l'allure et le montant des crédits accordés en aide immédiate. Mais l'Europe ? Elle fait comme la France. Certains plus que la France, d'autres moins. Il ne s'agit pas de se lancer dans une compétition entre nous. Nous devons, comme cela a été suggéré par plusieurs d'entre vous, mettre en commun la somme d'aides immédiates dont nous sommes détenteurs.

J'en arrive à ma conclusion. Qui n'a pas entendu, parmi vous, débattre un certain nombre d'intellectuels, de journalistes, de politiques ? Voilà l'Europe de l'Est qui se défait, qui s'ouvre aussi. Ne serait-ce pas le prélude de transformations profondes, de délabrement et aussi de dislocation de l'Europe de l'Ouest ? Bien entendu, cette discussion tourne toujours autour des deux Allemagnes. Il y a là quelque chose que je ne comprends pas. On raisonne comme si on était à l'époque des diplomaties de balance où l'on a vu se produire, dans des circonstances graves, le passage d'un pays – l'Allemagne, en la circonstance – d'une alliance à une autre. Mais quel autre pays, ayant joué un rôle dans l'histoire du monde au cours de ces derniers siècles, notamment en Europe, n'a pas agi de la même façon ? Les renversements d'alliance ont été la preuve la plus évidente de la fidélité à soi-même. Est-ce que nous en sommes encore là, alors que la Communauté de l'Europe a déjà quelques décennies derrière elle ? Est-ce que la destruction de la structure de l'Est doit automatiquement s'accompagner de la dislocation des structures de l'Ouest ? Est-ce que cela ne devrait pas produire au contraire l'effet inverse ? Au nom de quoi accuserait-on le peuple allemand

de désirer se retrouver, dès lors qu'il s'agit d'un appel qui
monte vers nous tous, qui vient de l'Est et qui en appelle
aux valeurs qui sont les nôtres ? Bref, ma conclusion est
simple : il faut tirer, renforcer et accélérer la construction
politique de l'Europe, seule réponse au problème qui nous
est posé. »

L'UNITÉ ALLEMANDE DEVRA SE FAIRE
PACIFIQUEMENT ET DÉMOCRATIQUEMENT *

Je serai conduit à préciser tel et tel point, selon les questions que vous me poserez, et vous me pardonnerez si je me dispense d'un exposé de caractère exhaustif, après ce qui vient d'être dit par le Chancelier Kohl et que j'approuve.

Il a dès le point de départ marqué une volonté de construction européenne, alors que se déroulent les événements que nous savons à l'est de l'Europe. Ce faisant, il a exprimé un point de vue fondamental sur lequel je me permets d'insister. Plus les événements en Europe de l'Est vont vite, plus nous devons accélérer et renforcer la Communauté européenne. Il faut offrir à l'Europe un pôle solide, homogène, résistant qui encadre l'ensemble des mouvements qui aujourd'hui occupent et passionnent les peuples. C'est pourquoi je me rendrai en tant que président du Conseil européen au Conseil de Strasbourg, je mettrai l'accent, comme je l'ai fait récemment dans cette même ville, devant le Parlement, sur un certain nombre d'axes qui

* Conférence de presse conjointe avec le Chancelier Helmut Kohl à l'issue des cinquante-quatrièmes consultations franco-allemandes, *Bonn, 2-3 novembre 1989.* Extraits.

me paraissent essentiels. Je les ai déjà indiqués, je ne vais pas me répéter. Ils sont d'ailleurs simples, et vous les connaissez. Disons pour le moins que l'Union économique et monétaire doit prendre un nouveau tour, ainsi que la Charte sociale, sans oublier d'autres questions qui se posent et touchent à l'environnement, à l'audiovisuel, à ce qu'on appelle Lomé IV, c'est-à-dire à nos accords européens avec un grand nombre de pays d'Afrique, des Caraïbes, du Pacifique. Je demanderai au Conseil européen de Strasbourg de se prononcer sur la tenue de la Conférence intergouvernementale qui débattra d'un nouveau traité et qui devrait s'ouvrir dans le courant de 1990 sous la présidence italienne.

Telles sont les dispositions générales, à quoi m'incitent les événements que nous avons rappelés il y a un instant, partout en Europe, et particulièrement en Allemagne de l'Est.

On entend dire ici, par les hommes politiques allemands, que les voisins et les alliés de l'Allemagne ne seraient pas tellement enthousiasmés par la réunification, qu'ils en auraient même peur. Est-ce que vous avez peur d'une éventuelle réunification de l'Allemagne ?

Il n'y a pas que les hommes politiques qui en parlent, les journalistes aussi, et particulièrement en Allemagne, mais aussi en France.

C'est bien normal puisqu'il s'agit d'un fait dominant de cette fin de siècle. J'accorde à ce problème allemand une grande importance, mais la réunification ne doit pas se situer sur le plan des craintes ou de l'approbation. Ce qui compte avant tout, c'est la volonté et la détermination du peuple, que le déroulement des faits se produise tout de suite ou plus tard ; c'est le fait que les Allemands ne fassent qu'un seul peuple dans un seul État ou dans une structure qui reste à déterminer – je ne m'avance aucunement sur ce terrain-là. Cela, c'est la volonté des citoyens allemands qui pourra le dire. Et personne n'a à se substituer à cette volonté. Bien entendu, cela ne se produira pas n'importe comment, dans n'importe quelles circonstances. On a coutume de dire : il ne faut pas mettre la paix en jeu. Cela doit donc être une démarche pacifique. D'autre part, cela doit être démocratique, ce qui est présupposé puisque nous avons parlé de la détermination du peuple lui-même. Cela regarde aussi les autres pays, spécialement les pays d'Europe. Vous savez qu'il existe des garanties particulières qui sont définies par les accords de l'après-guerre mondiale, mais aussi par le fait que nous vivons dans une Communauté.

Tout cela est à mettre sur la table. Mais ce qui compte, c'est ce que veulent faire les Allemands, ce qu'ils veulent, et ce qu'ils peuvent. Il y a des problèmes sur lesquels j'exprimerai mon opinion le jour venu. Mais où en est la République démocratique allemande ? Quel sera le degré de ses évolutions ? Que veulent ceux qui la dirigent ? Que veulent ceux qui sont dirigés ? À quel rythme, pour aboutir à quels statuts ou à quelles structures ? Est-il même question dans ces milieux-là de réunification ? J'attendrai que les faits soient là pour terminer cet exposé.

Je réponds à votre question initiale : je n'ai pas peur de la réunification. Je ne me pose pas ce genre de question à mesure que l'histoire avance. L'histoire est là. Je la prends comme elle est. Je pense que le souci de réunification est légitime pour les Allemands. S'ils le veulent et s'ils le peuvent. La France adaptera sa politique de telle sorte qu'elle agira au mieux des intérêts de l'Europe et des siens. Je ne vais pas recommencer le même discours, je dirai que la réponse, elle, est simple : à mesure qu'évolue l'Europe de l'Est, l'Europe de l'Ouest doit se renforcer, renforcer ses structures et définir ses politiques.

Vous me demandez de faire un pronostic...

Moi, ma vie maintenant commence à se raccourcir sérieusement... En même temps qu'elle s'allonge... Je ne saurais donc faire de pronostic, mais à l'allure où ça va, je serais étonné que les dix années qui viennent se passent sans que nous ayons à affronter une nouvelle structure de l'Europe. Je comprends très bien que beaucoup d'Allemands le désirent. Il faut simplement qu'ils comprennent que l'Histoire ne se fait pas comme ça. Il existe des pays qui sont déjà – pour certains d'entre eux, depuis un millénaire, et pour d'autres depuis des centaines d'années – habitués à voisiner, à se quereller, à mesurer leurs équilibres. Ces données doivent entrer en jeu lorsque l'on parle de ce problème... Mon pronostic est fondé sur une constatation évidente : c'est que ça va vite, très vite. Cela n'ira pas ensuite aussi vite que le désirent ceux qui parlent déjà de réunification. Mais aucun homme politique européen ne peut désormais raisonner sans intégrer cette donnée, cela me paraît évident. Je ne fais pas de pronostic précis, la réunification pose tant de problèmes que j'aviserai à mesure que les faits se produiront.

Confirmez-vous votre prochaine visite en République démocratique allemande ?

Il y a déjà un certain nombre d'années que j'ai entrepris d'organiser des visites d'État dans la plupart des pays dits de l'Est. C'est ce que j'ai fait à diverses reprises avec l'Union soviétique, avec la Hongrie et plus récemment avec la Tchécoslovaquie, la Bulgarie et la Pologne. J'ai l'intention de continuer. J'avais prévu d'inscrire dans ce calendrier une visite d'État en RDA, du temps où M. Honecker assurait la responsabilité des affaires. Il n'y a pas de raison de modifier mon programme. Je ne rends pas visite à telle ou telle personne, je visite un peuple et son État. Les circonstances peuvent, bien entendu, créer un certain nombre d'opportunités, mais je ne vois pas ce qui m'empêcherait de me rendre en RDA. Le problème est maintenant de fixer une date ; je ne sais pas quand ce sera, mais cela ne tardera pas.

Est-ce que vous pensez qu'avec la grande influence dont vous disposez vous pouvez, pendant votre voyage dans « l'autre Allemagne », pousser à obtenir des élections libres ?

Dans tous les pays où je vais, je défends, en respectant les règles de la politesse, les idées qui me sont chères. Je ne cache jamais ma préférence pour un système démocratique. Je n'entends pas faire la leçon à ceux qui me reçoivent, mais j'entends témoigner pour les peuples et pour le développement pacifique et démocratique du monde. D'autant plus que, lorsque je vais dans un pays donné, surtout là où se pose ce genre de problèmes, je ne rencontre pas que des dirigeants officiels, je vois aussi les représentants des autres courants d'opinion. C'est ce que j'ai fait dans les pays que j'ai cités tout à l'heure. J'ai rendu visite aux dirigeants et aux opposants. Je continuerai de le faire, y compris en République démocratique allemande.

Votre « cavalier seul » à l'égard de l'Allemagne de l'Est n'a-t-il pas agacé Bonn ?

Compte tenu de la situation particulière de l'Allemagne fédérale dans ce débat sur les relations entre les deux États allemands, je considère qu'il n'y a pas, autant que vous le pensez, d'ordre dispersé. Je n'ai pas compté – ils pourraient vous le dire mieux que moi – combien de fois se sont rencontrés MM. Genscher et Dumas. Je ne pense pas que beaucoup plus d'une dizaine de jours se passent sans qu'ils se voient quelque part en Europe ; dans l'intervalle, c'est le téléphone qui fonctionne. Nous n'apprenons pas une démarche allemande par voie de presse. Généralement nous sommes informés auparavant. Cela se passe comme cela aussi dans l'autre sens. Que nous ayons des vues, des intérêts, des réactions instinctives différents, c'est naturel, c'est l'Histoire qui explique cela. C'est pourquoi nous faisons un effort non seulement de rapprochement mais d'unification de l'Europe. La démarche n'est pas qu'économique et monétaire, elle n'est pas que sociale, elle est politique. Nous travaillons déjà comme si nous étions en mesure d'aller plus vite. Nous ne travaillons donc pas en ordre aussi dispersé que cela. Maintenant, il peut y avoir telle ou telle initiative allemande sur laquelle, le cas échéant, j'exprimerai des réserves. Pour l'instant ce n'est pas arrivé. Si cela arrivait, je le dirais au Chancelier, et M. Dumas le ferait savoir à M. Genscher. À l'inverse, si nos partenaires trouvent que la France prend des chemins de traverse, ils ne manqueront pas de nous le dire. Pour l'instant, le dialogue est vraiment positif.

POURSUIVRE LA CONSTRUCTION EUROPÉENNE *

Je vous remercie de m'accueillir dans votre université, la plus grande, me dit-on, et la plus ancienne de la République démocratique allemande. Dans cette ville se retrouvaient des savants, des marchands. Elle avait tout pour être l'un des principaux lieux de la culture allemande, eh bien, c'est ce qu'elle est devenue. Pour un Français, apprendre que dans ces pupitres et ces chaires se sont succédé des gens comme Goethe, Lessing, Fichte, Wagner, Liebknecht et beaucoup d'autres, c'est évidemment impressionnant. Vous avez reçu ici trois prix Nobel ; au lendemain de la création de cet État, des chercheurs de grand renom s'y sont installés comme Ernst Bloch, Werner Kraus, Walter Markov dont tous les historiens connaissent les travaux sur la Révolution française. Quand on sait cela, on ne s'étonne plus que tout ait commencé cet automne, dans cette ville de culture, de pensée et de foi. On a appelé Leipzig « ville-héros », et c'est justifié pour une cité que le passé a modelée et meurtrie. C'est ici que, pour une large part, s'écrit aujourd'hui l'histoire de votre pays et donc l'histoire de l'Europe.

* Rencontre avec des étudiants, intellectuels et artistes, université Karl-Marx, *Leipzig, 21 décembre 1989*. Extraits.

Je ne vais pas faire un cours d'histoire, je pense que vous en savez assez. Mais enfin vous connaissez la portée, les répercussions qu'a eues, cela vient d'être rappelé par Monsieur le recteur, la Révolution française dont nous venons de fêter le Bicentenaire. En effet, il y a deux cents ans, le peuple français a pris son destin en main, il s'est rassemblé avec puissance, la puissance que donnent le nombre et les exigences de revendications justes, il a commencé à mener le pays vers la liberté, l'égalité et la fraternité qui restent toujours à conquérir.

Eh bien aujourd'hui, comme il y a deux cents ans, des peuples cherchent en Europe à s'exprimer librement, à construire une société plus juste où chacun serait l'égal de l'autre, en tout cas en droit, et le plus possible dans les faits. Où une certaine fraternité s'exercerait entre tous à l'intérieur d'un même État, d'une même nation, d'un même continent, sur une terre vouée à l'unité. Nous savons à Paris que le message révolutionnaire de 1789 a été entendu chez vous. Et mon pays est bien placé pour comprendre et pour partager l'enthousiasme de la liberté. Je viens en son nom vous dire, et au-delà de vous, dire au peuple allemand dans son ensemble, que la France est à ses côtés à un moment où il vit des événements qui le touchent au plus profond de son histoire et de son âme. La France et la république fédérale d'Allemagne de l'autre côté de la frontière ont travaillé ensemble depuis presque deux générations, depuis la fin de la dernière guerre mondiale. C'était vraiment nécessaire pour bâtir un édifice de paix qui oppose aux antagonismes et aux luttes de l'Histoire une communauté de destin. On a d'abord été six, puis neuf, puis douze. Nous construisons ce qu'on appelle la Communauté et nous pensons bien que les États de l'est de l'Europe, sous une forme ou sous une autre – à eux de le dire –, viendront y tenir place à nos côtés.

Tout cela prendra naturellement du temps, mais on peut déjà avancer si on le veut ; en tout cas, on peut réfléchir à différents plans pratiques, les échanges par exemple entre universités. La circulation des étudiants aux quatre coins de l'Europe, c'est ce que nous avons décidé entre nos douze pays, et un étudiant peut dorénavant aller où il veut. Nous avons pour ce faire adopté des crédits au sein de la Communauté, de sorte qu'un étudiant qui commence ses études à Bologne, en Italie, peut les poursuivre à la Sorbonne à Paris, et terminer à Oxford. Pourquoi pas un jour à Leipzig ?

Il est clair, et on le sent bien par ici, qu'une révolution démocratique d'une grande ampleur se déroule en Europe, à l'aube de ce nouveau millénaire. On doit attendre des changements profonds dans votre société, dans la nôtre aussi. Je suis convaincu que l'esprit qui anime la jeunesse, votre jeunesse, n'est pas simplement de copier des modèles, aussi serais-je heureux d'entendre vos réponses. J'ai besoin de connaître les réponses que vous ferez aux questions soudaines que l'Histoire vous pose.

Nous connaissons votre passé antifasciste. Vous avez été interné dans un camp de prisonniers de guerre et vous avez combattu dans la Résistance. L'antifascisme est aussi un fondement de notre pays. Seriez-vous d'accord avec moi pour dire que l'antifascisme a eu pour conséquence légitime l'existence d'un État : la RDA, État souverain au milieu de l'Europe ?

Vous me rappelez là des souvenirs. La première fois que je suis venu en Allemagne, c'était comme prisonnier de guerre en Thuringe. Remarquez, la seule issue pour un prisonnier, c'est de s'évader, c'est ce que j'ai fait. Comme je suis parti à pied, j'ai pu visiter l'Allemagne. Je ne peux pas dire que j'en garde un mauvais souvenir. M'ont été épargnées les pires rigueurs ou les pires brutalités de la guerre. J'ai rencontré beaucoup de braves gens parmi vos compatriotes. C'étaient généralement des ouvriers, déjà un peu âgés, ou des soldats blessés qui remplissaient la fonction de garder les prisonniers de guerre.

J'y suis retourné longtemps après, précisément pour visiter cette région de Thuringe et refaire, avec mon ami Willy Brandt, ancien Chancelier allemand, le même chemin. La première fois, je l'avais effectué à pied ; la deuxième fois, nous avons pris une automobile, je ne pouvais pas exiger de Willy Brandt qu'il fasse tout cela à pied ! J'ai de nouveau vu la République démocratique allemande ; j'ai pu parler avec les habitants du village et de la ville voisine du lieu où j'étais prisonnier. J'ai cependant été un peu étonné : nous avons été invités à déjeuner par les responsables politiques, administratifs de cette région et, pendant que je déjeunais, je leur ai posé des questions comme celle-ci : « Il doit bien y avoir des choses qui ne marchent pas très bien ici... ? Il y en a en France, il y en a partout. » La réponse fut lapidaire : « Non ». Le déjeuner a duré plus d'une heure. Tout allait bien. À la fin de cette conversation mon hôte a eu une illumination et m'a dit : « Si, il y a quelque chose qui ne va pas très bien : il n'y a pas assez de femmes dans la direction. » Il avait raison, c'était une erreur ; mais peut-être y avait-il d'autres problèmes dont on aurait pu me faire confidence ! Bref, les échanges n'étaient pas faciles. Cela dit, nous avons été très bien reçus, amicalement. Quand on pense aux deux guerres mondiales qui nous ont séparés, je trouve que le peuple allemand reste très ouvert pour des discussions humaines et pacifiques et j'en suis reconnaissant aux Allemands. Il faut que nous dominions les antagonismes d'autrefois.

Ma troisième visite en RDA, c'est maintenant. Voyez que ma connaissance de votre pays n'est pas très importante, sinon par les livres, ce qui n'est pas suffisant.

L'antifascisme... Ensuite, bien entendu, lorsque je me suis retrouvé en France occupée par les Allemands, fin 1941, au mois de décembre, dans un pays coupé en deux – je sais ce que c'est –, je ne pouvais choisir que le combat. Je suis allé en France, dans toutes les provinces, je suis allé un temps en Angleterre, puis en Algérie. Je suis revenu ensuite en France au début de 1944 et j'ai vu les grandes phases de cette terrible guerre. Au lendemain de l'armistice, je suis allé en République fédérale, et j'ai vu l'effroyable désastre des villes : Francfort, Nuremberg et les autres, réduites à rien. Vraiment, la guerre était abominable. De part et d'autre, nous nous sommes détruits follement. C'est pourquoi ce que vous appelez l'antifascisme, c'est aussi une certaine forme de défense de la paix et le refus d'une idéologie imposée par la force. Voilà ce que j'entends par là. Les idéologies sont saines, il faut bien avoir des opinions. Il est même bon d'avoir un corps de doctrine pour s'expliquer le monde, expliquer le rôle des individus dans une société, la relation entre l'État et le citoyen, chacun selon sa préférence. Mais, quand on veut imposer son idéologie aux autres, on commet un crime contre l'esprit. C'était cela le fascisme et le nazisme. Remarquez que l'on connaît d'autres exemples. Je me sens donc tout à fait en accord avec vous. Mais peut-être faut-il évoquer à ce sujet l'unité allemande, du moins l'éventuelle unité.

Ma position est tout à fait simple. L'unité sous une forme ou sous une autre – nous y reviendrons –, l'unité des Allemands regarde d'abord les Allemands. Seules des élections libres, ouvertes, démocratiques, permettront de savoir exactement ce que veulent les Allemands des deux côtés. Il faut d'abord passer par cette épreuve, qui est une bonne épreuve, avant de décider pour les Allemands. C'est à eux de dire ce qu'ils veulent.

Certes, il y a beaucoup de manifestations qui semblent

indiquer ce que veulent les Allemands. Mais c'est à eux de s'exprimer démocratiquement dans des élections libres et secrètes. Pour l'instant, il existe deux États. Ces deux États ont une existence souveraine. Chacun des deux est maître chez lui. On ne peut pas rayer d'un trait la réalité européenne, telle qu'elle s'est constituée après la Seconde Guerre mondiale. Ce n'est pas votre faute, ce n'est pas la mienne, mais c'est comme cela. Un certain ordre – si l'on peut dire – s'est créé en Europe, autour de deux alliances militaires, avec un équilibre entre ces deux alliances, et sur la base de frontières qui ont été enregistrées et consacrées par des accords internationaux dont le dernier date d'il y a quatorze ans : ce sont les accords d'Helsinki.

Si on commence à toucher les frontières ici, cela bougera un peu partout. Mais j'estime que la frontière entre les deux États allemands est d'une nature différente des frontières qui existent ailleurs, car elles ont été créées à l'intérieur d'un même peuple et non pas entre deux peuples différents, comme c'est le cas, d'une façon générale, dans le reste de l'Europe, même si ces frontières ne sont pas toujours justes. Vous connaissez les revendications par exemple en Transylvanie, en Moldavie. Vous connaissez les revendications des pays baltes, vous connaissez les revendications qui se sont manifestées à l'égard de la Pologne. Avant de toucher à cette construction fragile, si l'on veut préserver la paix, il faut garder son sang-froid. On a le droit d'agir sous le coup de la passion et de l'espérance, mais il faut réintroduire quand même une certaine dose de raison. Je dis donc que l'unité allemande dépend essentiellement du peuple allemand. Si le peuple allemand décide qu'il doit en être ainsi, ce n'est pas la France qui s'y opposera.

Mais le peuple allemand doit se déterminer en tenant compte de l'équilibre européen. Il ne peut pas faire fi d'une réalité qui le constitue, à l'Est, en membre très actif de l'alliance dite « pacte de Varsovie » avec des armées étrangères puissantes sur son sol, pas plus que l'Allemagne fédérale ne peut faire fi d'une situation comparable, avec ses alliés de l'Ouest. Je dis donc que l'unité allemande, c'est aussi l'affaire de vos voisins qui n'ont pas à se substituer à la volonté allemande, mais qui ont à veiller à l'équilibre de l'Europe. Voilà presque une contradiction. Deux éléments d'analyse différents qui peuvent être thèse et antithèse en attente d'une synthèse. Je crois que c'est possible, c'est-à-dire qu'il faut faire avancer en même temps les formes d'unité allemande et européenne. Autrement, on va vers un déséquilibre sur lequel vous aurez le devoir de réfléchir lorsque vous voterez.

Mais s'il s'agit des aspirations profondes du peuple allemand dans un sens ou dans l'autre, nous Français, nous devrons le comprendre et choisir toujours le parti de la liberté. Voilà ce que je pense, d'une façon simplifiée et rapide, du problème allemand tel qu'il se pose.

Le rôle de la Communauté européenne sera donc important dans ce processus, parce que cette institution peut passer des accords avec des pays comme le vôtre. Par ailleurs, elle doit se renforcer pour que le problème allemand ne soit pas qu'un problème allemand, mais un problème européen. Alors, nous nous entendrons bien pour trouver la bonne solution.

LA LIGNE ODER-NEISSE EST INTANGIBLE *

Est-ce que la déclaration adoptée hier par le Bundestag sur la question des frontières vous semble entièrement satisfaisante et est-ce qu'elle permet de tirer un trait sur les ambiguïtés qui ont duré pendant un certain temps sur cette affaire ?

Permettez-moi, afin de répondre comme il convient à une aussi importante question, de la situer dans son cadre. D'abord, je tiens à rappeler pour qui l'ignorerait que l'Allemagne fédérale est l'amie de la France. Nous sommes alliés et associés dans de vastes entreprises, en particulier la Communauté européenne. Nous avons donc toujours la volonté à la fois de respecter ses intérêts, plus encore de respecter les personnes, les Allemands qui sont nos partenaires après avoir été si longtemps nos adversaires ; nous aimerions même proposer en modèle la façon dont l'Allemagne fédérale et la France ont surmonté les contentieux historiques dramatiques qu'elles ont vécus jusqu'à bâtir une solide entente. Bien entendu, une telle déclaration

* Conférence de presse conjointe avec le Président Wojciech Jaruzelski, les Premiers ministres Tadeusz Mazowiecki et Michel Rocard, *palais de l'Élysée, 9 mars 1990.* Extraits.

liminaire que j'exprime du fond du cœur ne peut se passer d'une précision et d'une définition rigoureuse chaque fois que des intérêts de grande ampleur et particulièrement le problème de l'équilibre européen se trouvent posés.

Je répondrai d'abord par une phrase toute simple : la France considère la frontière Oder-Neisse, c'est-à-dire la frontière entre l'Allemagne, aujourd'hui l'Allemagne de l'Est, et la Pologne, comme intangible, et de ce fait toute déclaration qui ne dirait pas cela clairement serait insuffisante.

La France appuie donc la demande polonaise afin que cette intangibilité de la frontière Oder-Neisse soit proclamée et consacrée par un acte juridique international, ce qui veut dire que notre position à nous, Français, va plus loin que celle qui ressort de la déclaration adoptée par le Bundestag. En tout état de cause, nous estimons que la Pologne doit être associée à ceux des travaux qui seront engagés autour de cette question. Travaux engagés par qui ? Puisque je souhaite un acte juridique international, je souhaite en même temps que cet acte juridique soit négocié le plus tôt possible et en tout cas avant la probable unification des deux États allemands. Dès lors, il nous paraît normal que la Pologne soit associée, prenne part à l'ensemble de ces travaux qui porteront sur sa propre frontière, c'est la moindre des choses. Nous ferons valoir ces demandes polonaises auprès du groupe des six. Le groupe des six, c'est l'addition de quatre et de deux.

J'ai été très satisfait de la décision prise par les autorités allemandes, par le Parlement allemand, qui me paraît correspondre davantage à nos intérêts mutuels, comme à l'équilibre européen et au devenir de l'Europe tout entière. Mais je pense que cette déclaration doit encore préciser certains contours. En particulier, il est bien entendu, mais mieux vaut le dire explicitement, que cette frontière n'est pas n'importe laquelle, qu'il s'agit bien de la frontière Oder-Neisse. Nous n'entendons pas, en disant cela, effacer les drames de l'Histoire. Nous savons bien à quel point sont douloureuses les blessures provoquées par les guerres. Mais c'est l'intérêt de l'Europe et de la paix.

Vous avez fait allusion à l'étroite coopération entre la France et l'Allemagne. Est-ce que vous avez déjà fait part au Chancelier Kohl de votre appréciation de la déclaration adoptée hier par le Bundestag ?

J'ai eu le Chancelier Kohl lundi dernier au téléphone, c'est-à-dire avant cette déclaration. Il me l'avait laissé pressentir. Je n'en connaissais pas à l'avance le texte exact, et nous avons pris un rendez-vous téléphonique pour cette fin de semaine, ou le début de l'autre, c'est-à-dire demain ou lundi. Cela fait déjà plusieurs mois que nous avons abordé cette conversation et je lui ai constamment dit, amicalement, que je pensais indispensable et comme un préalable qu'il fût dit clairement que l'intangibilité des frontières était aussi un principe allemand.

De quelle manière comptez-vous faire partager votre position, votre point de vue sur cette frontière par les autorités allemandes, par le Chancelier Kohl ? Ne craignez-vous pas que cette affaire ne crée un problème entre Paris et Bonn ?

Non, je ne vois pas pourquoi. Je pense que c'est aussi son opinion. Il suffit simplement de le dire.

Après la décision d'Ottawa de faire cette conférence 4 + 2, le Premier ministre Mazowiecki a demandé que la Pologne y soit associée. Les Soviétiques, le ministre Chevarnadzé ont tout de suite dit « oui », ainsi que la France, mais, concrètement,

comment cela va-t-il se passer ? Ce sera ou 5 + 2 ou ce sera
4 + 2 avec une table à côté pour la question des frontières ?

Votre imagination est trop féconde, ou beaucoup trop courte.
On choisira. Ce qui est vrai, c'est qu'il appartient aux Polonais
et aux Allemands de débattre d'un règlement de la question
des frontières. Ils sont directement intéressés. Il appartient
aussi, en tout cas aux « quatre », de donner leur opinion à ce
sujet, on pourrait même dire, d'une certaine façon, d'apporter
leur garantie à cet acte international. Sans doute appartien-
dra-t-il aux six de lancer les initiatives, de préciser les orientations. Pourquoi « les six » et pas « les cinq » ? C'est parce
qu'il y a deux États. Il s'agit précisément de faire que ce débat
sur la frontière soit tranché, je ne dis pas « validé », « pro-
mulgué », mais tranché avant l'unité, l'unification. Tant qu'il
n'y a pas unification, cela fait six, le jour où il y aura unification, cela fera cinq, mais on passera à un autre stade. Voilà
la réponse que je peux vous faire.

Je voudrais apporter quelques précisions supplémentaires
sur ce problème délicat. Nous ne nous en sommes pas tenus
aux problèmes de frontières et de garanties qui étaient le
point fort de nos entretiens. Nous avons décidé des rencontres régulières, en particulier à l'échelon des ministres
des Affaires étrangères, pour élaborer une concertation
continue, des formes multiples de coopération dans tous les
domaines, notamment technologiques et économiques.
Nous avons décidé de contribuer de notre mieux à la mise
en place des nécessaires travaux préparatoires dans le plus
bref délai possible en vue de créer ce que le Premier
ministre Mazowiecki a appelé le « Conseil de coopération
européenne », et de déboucher sur ce que j'ai appelé la
« Confédération européenne », pour essayer de trouver un
mode d'existence en commun des pays de l'Europe dès lors

qu'ils auront accédé à un système représentatif franchement démocratique.

Deuxièmement, je voudrais rappeler que tous ces débats n'ont un sens que par rapport à quelques pétitions de principe. La France a, dès le point de départ, exprimé sa position : le problème de l'unité des deux États allemands relève de l'autodétermination des citoyens de ces deux États. Et nous avons trop de respect pour les Allemands pour exprimer quelque condition que ce soit à cette libre détermination. D'autant plus que l'Histoire a fait de nous, depuis déjà bientôt un demi-siècle, non plus des adversaires, mais des amis. Mais, nous l'avons dit en même temps, cette détermination ne peut s'exercer que dans le cadre des frontières actuelles des deux États. Donc, le cadre a été tout de suite fixé. Il ne doit pas prêter à confusion, ce qui suppose la reconnaissance de la frontière germano-polonaise, ce que l'on appelle la ligne Oder-Neisse. Il n'y a donc pas de surprise de part et d'autre. Les raisons qui ont conduit des dirigeants allemands à suivre leur chemin pour aborder cette question qui leur est difficile relèvent de leur compétence et de leur autorité. Mais la position de la France a été exprimée par M. Roland Dumas, récemment à Berlin. Et c'est précisément parce que nous avons parlé dans la clarté que l'amitié franco-allemande doit en sortir renforcée. C'est un langage indispensable entre pays qui se respectent, car toutes les conséquences qui découlent de la probable unification relèvent de la compétence de tous les pays de l'Europe et d'abord, bien entendu, des pays voisins. Or la Pologne et la France sont des pays voisins qui ont été mêlés à la cruelle histoire de ce siècle.

Voilà pourquoi nous pensons à ces conséquences qui s'appellent sécurité, donc frontière, alliances, champ d'action. Et puis pour nous Français, au problème de la Communauté européenne des douze, selon les procédures qui seront adoptées par les Allemands pour l'unité des deux États et le rythme des délais que cela prendra. Voilà toutes les précisions que je tiens à vous apporter. Tout cela tourne autour du problème majeur de l'équilibre européen. Ce pour quoi j'ai préfiguré un projet de Confédération européenne sur lequel je me suis déjà exprimé plusieurs fois.

M. Mazowiecki dit que ce que la Pologne craint le plus, c'est l'unification allemande. Vous comprenez cette inquiétude ?

J'ai déjà répondu à cette question, le 3 novembre dernier à Bonn, à l'issue d'un sommet franco-allemand précédant la chute du Mur de Berlin. J'avais alors dit que je ne redoutais pas l'unification allemande dès lors qu'elle s'accomplirait d'une façon démocratique et pacifique. Je n'ai vraiment rien à ajouter aujourd'hui à cela. Je fais confiance au peuple allemand.

La Pologne sera-t-elle ou non associée aux discussions des six ?

Non, la Pologne n'est pas membre des six, c'est clair. Mais pour ce qui touche aux affaires polonaises et éminemment les frontières de la Pologne, cela l'intéresse. Il est évident que la Pologne doit être associée aux décisions qui seront prises, c'est-à-dire à l'acte juridique international qui devrait, si les choses se passent logiquement, commencer par des échanges de vues entre les deux États allemands et la Pologne. Mais je crois savoir qu'il y a des réunions, des consultations des six qui se déroulent dès cette semaine. Et je pense que ce sujet sera au centre de leurs conversations.

POUR UNE CONFÉDÉRATION EUROPÉENNE *

« Lorsque Christophe Borgel est venu me proposer de participer sinon à vos travaux, du moins à l'ouverture de la Conférence européenne étudiante, j'ai tout de suite ressenti la nécessité de cette rencontre. Non seulement je tenais à marquer mon accord avec cette initiative, avec l'ensemble des travaux accomplis par l'UNEF-ID, mais aussi le sujet en valait la peine. La circonstance était belle, qui permettait à des étudiants libres, représentant la plupart des pays d'Europe, de se retrouver pour quelques jours sans frontière.

Il est important à mes yeux que cela ait été fait à l'initiative de la France. Il est important que cette réunion, cette conférence, se tienne à Paris. J'y vois la récompense de nombreux efforts, ceux accomplis par de multiples associations, par des responsables, qui ont compris que le sort de chacun de nos pays se jouait d'abord en Europe. Et quand je dis Europe, bien entendu, je ne pense pas à une Europe plutôt qu'à une autre.

* Discours prononcé à l'occasion de l'ouverture du colloque des étudiants d'Europe, Cité des Sciences, *Paris, 10 mai 1990.* Extraits.

Je voudrais aborder le problème de l'Europe proprement dite. Car le développement de l'enseignement supérieur dans chacun de nos pays, l'interconnection de nos universités, rien de tout cela ne se fera, bien entendu, s'il n'existe pas d'Europe suffisamment structurée, si chacun de nos pays s'enferme derrière ses frontières et si l'on retrouve la mentalité qui précédait les deux dernières guerres mondiales, où chacun se croyait le meilleur, appelé à supplanter les autres : on sait comment cela a fini.

C'est ce que nous avons compris dès ma génération, au lendemain de la dernière guerre mondiale à laquelle nous avions participé, et nous en avons tiré des leçons. J'étais moi-même soldat du premier jour, en 1939 et 1940, en raison de mon âge. Le premier jour d'une nouvelle guerre mondiale, que de questions ! D'abord survivra-t-on ? Et qu'est-ce qui subsistera de nos pays, de notre civilisation commune ? Et puis qui est l'ennemi, pourquoi est-il notre ennemi ? Sur quoi se fondent ces antagonismes, sont-ils permanents, seront-ils éternels ?

La première fois, vingt ans plus tôt, en France, plus d'un million et demi de morts n'avaient pas eu l'occasion de répondre à cette question. En 1945, combien d'autres centaines de milliers, combien de millions de morts dans cette Europe ? En Union soviétique, près de vingt millions. Et en Allemagne, quel désastre ! Chacun de nous a payé son écot à ce retour en force de la barbarie. Alors un certain nombre d'hommes et de femmes ont compris qu'il convenait de rompre avec cette force des choses et ils ont imaginé les premiers rapprochements qui ne pouvaient véritablement se fonder que sur la réconciliation des ennemis traditionnels. Ce fut la tentative réussie de réconciliation franco-allemande puisqu'en moins d'un siècle trois conflits avaient opposé l'Allemagne et la France.

Cette réconciliation ne pouvait naturellement exister

qu'à partir de timides mais réelles structures. Structures d'échanges, de communication, de travail en commun, à partir d'une élaboration psychologique. Comment se retrouverait-on, hier ennemis à mort sur les champs de bataille, avec derrière soi la pesanteur de quelques siècles, comment ferait-on ? Puis l'on s'est aperçu que, finalement, l'expérience vécue et la volonté de réussir l'emportaient plus aisément qu'on aurait pu le croire sur les réactions d'hostilité inconscientes.

Je me souviens d'avoir été présent à la première réunion de l'Europe en voie de réconciliation. C'était en 1948 et cela se passait en Hollande, sous la présidence de Winston Churchill. Il y avait là des Allemands, des Italiens, des Anglais, des Français, des Belges, et d'autres encore. En l'espace de trois ans, ils avaient pu procéder à une mutation telle qu'ils étaient disponibles pour une nouvelle aventure, une grande aventure, celle de la paix. Les progrès ont été constants. À partir de la réconciliation franco-allemande, on a commencé de bâtir les premières institutions, puis une Communauté à six pays : les trois pays dits du Benelux – Hollande, Belgique, Luxembourg –, l'Allemagne de l'Ouest, l'Italie et la France. Peu à peu cette construction s'est élargie. Nous étions six, nous sommes douze. Le dernier élargissement a concerné l'Espagne et le Portugal. Et déjà d'autres demandes affluent. Quel est le pays d'Europe, du moins voisin de la Communauté, qui ne souhaite pas à certains moments se joindre à cette construction ? Elle représente, avec la prochaine entrée dans la Communauté de quelque dix-sept millions d'Allemands venus de l'Est, environ trois cent quarante millions d'habitants. Non seulement c'est une puissance en forces humaines, mais c'est aussi une institution qui s'est dotée de structures, de pouvoirs. Pouvoirs autour de l'agriculture, de l'industrie, de la politique commerciale, autour de la technologie, des transports, des moyens de communication, de la recherche, de l'Université... Cela constitue le plus vaste marché du monde, la première puissance commerciale du monde. Et l'espérance n'est pas close. S'il y avait plus d'unité économique, les sommes consacrées à la recherche feraient de cette Communauté la première puissance industrielle. S'il y avait davantage d'unité politique, il n'y aurait pas de raison que l'Europe ne fût pas, avec les quelques grandes puissances politiques et économiques, parmi les acteurs de l'histoire du monde. En tout cas, la perspective de 1993, puisque nous nous sommes fixé cette échéance, celle que l'on appelle du marché unique entre les Douze, permettra aux citoyens de nos douze pays de circuler librement, de s'installer, de travailler, de bâtir leur vie professionnelle et leur vie familiale sans entrave.

Cela pose de multiples problèmes. Je vous en fais grâce. Pour l'instant, nous avons cela à traiter, et les deux années qui viennent seront consacrées à une très lourde tâche. Nous avons d'ailleurs pensé que, pour pouvoir couronner l'édifice, il serait indispensable de disposer des instruments économiques, et c'est pourquoi nous avons commencé à discuter en nous fixant un programme et un calendrier pour une Europe économique, fondée sur une unité de monnaie, l'Europe monétaire. À partir de là, comment voulez-vous diriger l'économie, la technique, l'émigration entre les pays, les échanges de toutes sortes, les universités, comment voulez-vous mener tout cela si vous n'avez pas au moins une politique commune ? D'où le projet – le dernier et le plus récent émanant d'Allemagne, de Belgique et de France, mais beaucoup d'autres pays y songent – d'une plus grande unité politique fondée sur des structures communes et pas seulement sur la simple rencontre, fût-elle aimable et bienveillante, des dirigeants de chaque État, rencontres qui ont lieu régulièrement sous la présidence de l'un ou de l'autre, et qui permettent, comme très récemment à Dublin, en Irlande, de confronter les points de vue des Douze. Il faut aller plus loin. Mais ce discours que je vous tiens ne touche pas directement les autres peuples de l'Europe. Il en est qui ont des contrats d'association, des accords de toutes sortes avec la Communauté, dont les six pays de l'Association européenne de libre-échange : les pays scandinaves, l'Autriche et la Suisse. Ces nations ont d'autres conceptions que la nôtre et répugnent à mettre en place des structures économiques contraignantes, mais ils n'en sont pas moins des pays de grande liberté démocratique, obéissant à des valeurs esthétiques, morales et de civilisation très proches des nôtres. Le dialogue est facile même si les traditions sont diverses.

Il y a aussi les pays de l'Europe centrale et orientale. Je n'en exclus aucun. Il y a ceux qui se sont détachés de ce bloc plus tôt, comme la Yougoslavie ; ceux qui sont restés à l'écart, comme l'Albanie. Il y a un certain nombre de pays qui se trouvent dans des difficultés particulières, comme Chypre, dont deux ont fait officiellement une demande d'adhésion à la Communauté : l'Autriche et la Turquie. Il y a enfin l'Union soviétique et les différents pays dont vous êtes issus et qui ont représenté, pendant ce dernier demi-siècle, une tout autre histoire. Je dis le dernier demi-siècle, mais pour certains, il peut s'agir de beaucoup plus ; cela peut remonter à la révolution de 1917 et même à la fin de la Première Guerre mondiale.

Ces pays-là, puisque nous sommes en train de réussir cette formidable construction communautaire à douze, va-t-on les abandonner à leur sort ? Va-t-on oublier que l'histoire, la géographie, la culture, nos intérêts convergents nous invitent à nous porter vers une addition de nos forces et non vers une séparation ?

Un problème cependant : faut-il que l'initiative de cette

union relève du seul fait des Douze, sorte de puissance
nouvelle, qui accorderait ses grâces à qui elle voudrait et
déciderait souverainement du sort de chacun de vos pays,
en réservant ses faveurs, ou le cas échéant ses déplaisirs,
selon ses humeurs du moment ? Bref, chacun de vos pays
sera-t-il en situation d'humilié, contraint en raison de sa
crise économique et politique de demander qu'on lui fasse
l'aumône ?

Vos pays n'ont-ils pas une histoire égale à la nôtre ? Leur
rapport à la culture et leur dignité seraient-ils inférieurs ?
Pourquoi un seul d'entre eux serait-il écarté de l'œuvre
européenne commune ?

Or il faut bien aborder ce problème avec quelque clarté
d'esprit. Aucun de ces pays-là n'est présentement en mesure
de supporter ces structures que j'appelais tout à l'heure
contraignantes. Et pour éviter de subir les effets en boo-
merang d'une situation économique difficile, ne pour-
raient-ils être des marchés offerts aux Douze ? Mais alors,
quelle possibilité auraient-ils de défendre ce qu'ils sont, de
défendre leur identité, d'être autre chose que des clients
soumis aux volontés de leurs créditeurs ? Voilà le problème.
S'ils ne sont que des demandeurs, des solliciteurs – ils ont
bien le droit de l'être pour sauver la situation de leur
peuple –, ils ne voudront pas s'installer dans cette situation
de dépendance : on observera bientôt une volonté de
révolte, une sorte de rébellion contre une situation intolé-
rable pour des peuples dont l'histoire, les virtualités, les
capacités, les chances valent bien les nôtres.

C'est pour cela que j'en appelle à ce que j'ai nommé,
mais je n'impose rien, une perspective de confédération
européenne. Je me suis adressé aux Français le 31 décembre
de l'année 1989, nous venions d'achever, de célébrer le
deuxième centenaire de notre Révolution française, devenue un peu la révolution de tout le monde libre, et je tenais

à marquer nos perspectives européennes. Dans la ligne même de ce qui avait été entrepris par les premiers révolutionnaires français. Et je disais d'abord ceci : " Il faut que nous réussissions là où nous sommes, d'abord : la Communauté. Il faut la parfaire, il faut l'améliorer, il faut qu'elle fonctionne mieux, il faut qu'elle dépasse ses contradictions et ses nationalismes, et ses protectionnismes qui existent toujours. " D'où l'Union économique et monétaire, d'où une perspective d'unité politique. Il faut aller vite puisque l'échéance du Marché unique est pour le 31 décembre 1992, cela veut dire que nous ne disposons que de deux années et demie pour parachever l'œuvre entreprise. Et, en deux ans et demi, il n'y a vraiment pas de temps à perdre si l'on ne veut pas déboucher sur une immense Europe commerciale, privée d'âme, de perspectives, de son propre orgueil, de sa propre identité européenne. Très vite tout cela se disloquerait sous la poussée des intérêts. On n'a pas fait tout ce que l'on a fait, tout ce sang versé, toute cette peine, toutes ces larmes et tous ces sacrifices, pour reconstituer une sorte d'Europe à l'imitation de ce que l'on connaissait soit avant 1914, soit en 1919 après l'éclatement de l'Empire austro-hongrois. Il faut avancer avec son siècle, j'allais presque dire avec son millénaire. Nous sommes en 1990, et toutes nos pensées doivent être portées sur le temps qui vient et sur sa symbolique particulière due à l'arrivée d'un siècle nouveau, d'un nouveau millénaire – cela parle à l'imagination.

À partir de cette Europe de la Communauté, j'esquisse donc ce deuxième objectif : s'adresser aux peuples de l'Europe tout entière, s'adresser aux autres et leur dresser une perspective, pas simplement un rêve. Une construction politique à base économique et culturelle, sans oublier, bien entendu, la technologie. Je vois, à travers le temps, et le plus tôt sera le mieux, se construire une Europe où tous les peuples d'abord se rencontreront, où leurs dirigeants débattront ensemble des intérêts communs, où chacun pourra plaider sa cause à égalité de dignité. Certes, il ne s'agit pas de dire à ces pays : " Vous serez demain dans la Communauté douze, treize, quinze, vingt ", ils ne seraient pas en état de supporter ce choc, et la Communauté, elle-même, n'a pas encore suffisamment réussi dans ses entreprises pour pouvoir accueillir d'autres partenaires dans une vaste zone de libre-échange qui trahirait l'idée même qui fut celle des fondateurs de la Communauté. Nous ne sommes pas prêts. Il faut encore du temps. Il faut évoluer, réformer les économies. Car il faut tout de même pouvoir comparer les niveaux de développement. Mais vous qui êtes étudiants dans ces pays, vous le pouvez si vous le voulez ; vous en êtes capables. Vous avez une histoire, vous avez des traditions, des hommes et des femmes qui sont pétris de notre culture commune.

Nous nous sommes si souvent rencontrés sur les champs de bataille, nous nous sommes rencontrés, aussi, dans les universités. Toutes les formes d'échanges guerriers et pacifiques, nous les avons pratiquées. Nous nous sommes confrontés. Nos intellectuels allaient à la rencontre des autres dès qu'ils en ressentaient l'envie : lorsque l'on était persécuté ici, particulièrement en France, à une certaine époque, on allait se réfugier à Berlin. Lorsque nos grands intellectuels du XVIIIe siècle éprouvaient comme un manque de capacité d'expression dans leur pays, comme une sorte de menace contre leur liberté de pensée et d'écrire, ils allaient ailleurs ! Pas forcément dans des démocraties, elles n'existaient pas encore à l'époque, mais il y avait une tradition. Il y avait une tradition à Berlin et une certaine tradition de compréhension en Russie. Songez que nous avons été formés par des siècles au cours desquels les frontières, les peuples, les cartes de géographie ont subi les effets des rapports de forces et que nous avons eu cent fois l'occasion de nous confronter au point de nous connaître bien. Alors une Confédération, cela veut dire quoi ? Cela veut dire qu'il faut qu'il y ait un pacte entre les pays qui le voudront et qui seront dotés – je l'ai dit tout à l'heure mais je le répète volontairement – d'institutions représentatives, je veux dire d'institutions démocratiques. Les autres ne seront pas interdits mais il faudra bien qu'ils attendent, il faut bien que l'on parle des mêmes choses, que l'on partage les mêmes valeurs si on veut pouvoir travailler ensemble. Il existe d'autres terrains où l'on rencontre ceux qui ne partagent pas ces valeurs mais avec lesquels il convient de débattre de nos intérêts. J'y viendrai avant de terminer.

Alors, pourquoi ne pas imaginer une structure plus souple que la Communauté où l'on pourrait discuter d'intérêts économiques, culturels ? Engager des discussions sur la sécurité, où chacun sera l'égal de l'autre, entre les ministres des Affaires étrangères, les ministres de l'Économie, selon les besoins, les ministres spécialisés, parfois les chefs d'État ? En tout cas, au moins trois ou quatre réunions par an des responsables gouvernementaux compétents donneraient l'habitude de travailler ensemble. Il faudrait un organisme permanent, un secrétariat permanent, léger lui aussi mais représentatif de tous les pays d'Europe, préparant les dossiers en commun, s'informant mutuellement des progrès à accomplir ici et là, des difficultés rencontrées. Une sorte de champ d'expérience où l'on apprendrait à approfondir les moyens de se rapprocher, de rendre service, d'être utile pour l'intérêt de chaque pays, mais aussi dans l'intérêt commun.

Si l'on prend cette décision un jour, les pays qui viennent, disons, de se libérer d'une tutelle qui leur pesait, qui ont retrouvé leur indépendance de décision, leur authentique souveraineté et aspirent à plus de liberté encore, ne resteront pas isolés. Il ne faudra pas s'en tenir à des tentatives, certes sympathiques et utiles, d'entente régionale, comme on le voit actuellement entre la Tchécoslovaquie, la Hongrie et la Pologne, il faudra aussi faire avancer l'association de pays en difficulté. Ce sera alors une énorme Communauté avec ses trois cent quarante millions d'habitants réunissant les pays les plus riches, quelques autres pays qui le sont moins, mais s'épaulant mutuellement. Pour cela, il faut une institution, il faut que les États travaillent à une permanence institutionnelle qui permette d'avancer et d'alerter dès lors que les intérêts sont menacés.

Le domaine est immense : c'est la culture, a-t-on déjà dit et je le répète volontairement, qui est et qui sera le ciment de l'Europe. Je rappellerai cette phrase de Jean Monnet qui est l'un des fondateurs de l'Europe communautaire : " Si c'était à recommencer, au lieu de commencer par l'Europe économique, je commencerais par la culture. " Là, c'est vraiment le domaine dans lequel peuvent s'exercer les responsables de toute l'Europe. Sans compter les problèmes de sécurité qui seront non pas de plus en plus graves, mais de plus en plus nombreux.

Il reste à savoir si chacun des pays qui viennent de connaître avec ivresse le retour de la liberté ne va pas tenter de travailler pour son seul compte, pressé d'obtenir des contrats. Plusieurs pays de l'Europe communautaire se montrent ainsi rivaux dans la compétition mondiale, surtout quand il s'agit d'aller piétiner vos pays, d'aller tirer ce qui leur reste de substance, d'attirer leur matière grise pour venir travailler chez eux. Comme on a vu se faire une certaine migration des cerveaux de l'Europe de l'Ouest, lorsqu'elle ne s'était pas équipée – mais cela continue encore –, vers l'Amérique, verra-t-on vos élites attirées par l'ouest de l'Europe parce qu'on y vit mieux, parce qu'on y a plus de chance ? Il ne faut pas que cela se produise, mais pour cela il faut bien qu'il y ait un endroit où l'on se rencontre, où l'on parle, où l'on décide, l'on se concerte, l'on prépare l'avenir vers des institutions plus fortes. C'est cela que j'appelle la Confédération.

C'est pourquoi j'encourage très vivement l'adhésion des pays qui sont en mesure de le faire au Conseil de l'Europe. À Strasbourg, le Conseil de l'Europe est une institution qui fonctionne bien, qui est très ouverte, et a la compétence de débattre des nombreux sujets que j'ai abordés ici même. Pour traiter des problèmes de sécurité et d'un certain nombre de problèmes politiques, il y a ce qu'on appelle la Conférence sur la sécurité et la coopération en Europe : la CSCE, à Helsinki, là où l'ensemble des pays d'Europe, plus les États-Unis d'Amérique et le Canada, se réunissent, se rencontrent. De ce point de vue, il y a beaucoup de travail devant nous. C'est une heureuse institution, c'est le seul endroit où se sont vraiment rencontrés tous les Européens. Il faut continuer. Une réunion est prévue, qui avait été proposée par l'Union soviétique ; la France a été le premier pays à approuver, quelques réticences se sont fait entendre. Aujourd'hui, cette affaire est réglée : la conférence de la CSCE aura lieu avant la fin de l'année, elle se tiendra vraisemblablement à Paris. C'est une bonne chose.

On a besoin de parler de désarmement, il faut que le désarmement conventionnel accompagne le début du désarmement nucléaire ainsi que le désarmement chimique. On a besoin de mettre au point le système des alliances : s'il n'y a plus d'ennemis, sur quoi reposent les alliances ? Il y a en outre des problèmes de territoires, notamment le problème propre à l'Allemagne réunifiée. Ici des troupes appartiennent au pacte de Varsovie, là à l'Alliance atlantique. Ces problèmes factuels devront être réglés dans les prochains mois, et il est bon qu'il existe une institution, cette CSCE, qui nous permette de discuter en présence des

États-Unis et du Canada puisque ce sont ces pays qui participent à l'Alliance atlantique.

J'avais demandé la création d'une sorte d'Europe technologique avec ce qu'on appelle le programme Eurêka, et qui connaît désormais un prolongement audiovisuel autour d'une télévision à haute définition capable de supporter la comparaison avec les technologies japonaise ou américaine. Dès le départ, j'avais demandé que cela ne fût pas réservé aux pays de la Communauté, de telle sorte qu'au lieu d'être douze nous sommes dix-huit pays européens concernés. Il s'agit que les entreprises se voient faciliter les contrats de haute technologie dans le domaine de la biologie, comme dans le domaine de la mécanique ou de l'optique. Aucun domaine n'est exclu, et les meilleures entreprises, les meilleurs techniciens, les chercheurs, les savants s'associent dans des contrats, non pas toujours à dix-huit, mais comme on veut, à trois ou quatre : ce sera ici le Danemark, la Suède, l'Espagne et la France ; là, ce sera la Grande-Bretagne, la Finlande, etc. Pourquoi ne pas ouvrir davantage cette Eurêka technologique à l'ensemble des pays de l'Est et du centre de l'Europe qui y ont normalement accès ? De ce fait, les entreprises performantes de vos pays, et plus encore vos chercheurs et vos techniciens, prendront part à une forme de construction européenne parmi les plus intéressantes.

Bien d'autres questions doivent être abordées ensemble : l'environnement – la pollution ne s'arrête pas aux frontières –, les moyens de communication, etc. C'est pour cela qu'il faut faire la Communauté, en intégrant le facteur temps, dont nous ne sommes pas entièrement maîtres. Au sein de la Communauté, il y a des grands pays industriels comme l'Allemagne, l'Italie, l'Angleterre, l'Espagne ; et puis il y a le Portugal, l'Irlande ou la Grèce qui sont moins riches, mais ces trois pays que je viens de citer ont les mêmes droits que les autres. Au sein du Conseil européen, s'ils disent " non ", leur " non " a le même poids que celui des grands pays. Ils sont à égalité de dignité, même s'ils ne sont pas à égalité de moyens. Il faut faire la même chose au sein de cette Confédération, et que le pays le plus empêtré dans les échecs et les retards soit à égalité de dignité, et ait donc la même capacité d'acceptation ou de refus que les pays les plus riches et les plus prospères. Si vous n'apportez pas cette condition-là, celle de la dignité, très vite les blessures se rouvriront. S'aggraveront les disputes, les querelles, les antagonismes, les conflits, les révoltes des minorités, et nous retrouverons la mauvaise Europe, issue des conflits du XIXe siècle, cette Europe qui a préparé sa propre perte et qui, pendant longtemps, a cessé de compter dans les décisions qui commandent la destinée du monde.

Et puis il faudra mettre un terme à la division du bloc militaire. Tout cela doit se préparer, tout cela doit se discuter, tout cela se discute, mais uniquement au sein d'enceintes, d'assemblées qui n'ont certes pas une compétence universelle, mais des compétences délimitées. Il faudra aussi conquérir l'espace ensemble et que l'espace, autant que possible, échappe aux frontières. C'est ce que nous entreprenons, au-delà de l'Europe, dans l'Antarctique, avec la protection de ce dernier continent préservé. Agir chacun pour soi est tellement absurde en face des besoins qui sont les nôtres que je réclame l'institution d'organismes où l'on puisse porter le débat d'une façon permanente pour que le dialogue ne cesse pas. Les perspectives sont immenses et l'on ne va pas y arriver du premier coup. C'est pourquoi j'encourage vivement les organisations existantes, celles que j'ai citées, le Conseil de l'Europe, la CSCE, Eurêka, etc., à persévérer dans leurs efforts. Simplement, il arrivera un moment où il faudra joindre l'ensemble de ces expériences pour que l'Europe se retrouve elle-même.

Je me suis adressé aux étudiants, étudiantes étrangers venus de toute l'Europe avec plaisir et même avec passion, car je crois au destin de l'Europe et, si je n'y croyais pas, je manquerais à mes obligations à l'égard du peuple français. Voilà pourquoi je dis : " Allez-y, allez plus loin, rencontrez-vous et discutez, imposez votre volonté aux gouvernements réticents, créez dans chacun de vos pays un courant d'enthousiasme et de volonté, vous êtes libres, montrez-le. " Merci. »

LE COUPLE FRANCO-ALLEMAND *

« Je pense que nous pouvons contempler, avec une certaine fierté, le chemin accompli. La récapitulation de ces
deux dernières années le démontre amplement : à aucun
moment l'Allemagne et la France n'ont travaillé de façon
aussi dense et aussi constante. Je crois que jamais nos deux
pays n'ont moissonné autant de résultats positifs, pour eux-
mêmes et pour l'Europe tout entière. Je crois pouvoir dire
qu'il n'est aucun autre pays avec lequel, nous Français, nous
entretenons des relations d'un niveau aussi exceptionnel.
Et pourtant, l'amitié franco-allemande ne va pas de soi.
Elle n'est ni naturelle ni automatique. L'histoire de nos
deux pays est très compliquée et même parfois très dra-
matique. L'harmonie préétablie, chère à l'un de vos grands
philosophes, ne règle pas le cours de l'Histoire. Surtout
quand les histoires sont aussi anciennes, aussi complexes
que les nôtres, avec, depuis des siècles, beaucoup plus
d'occasions de s'affronter que de s'accorder. Notre relation
est donc une construction permanente, animée par une
volonté politique de chaque instant et facilitée par les outils

* Allocution prononcée à l'occasion de la remise du prix des médias
allemands, *Baden-Baden, 25 novembre 1994.* Extraits.

et les procédures que nos prédécesseurs ont forgés et que nous avons cherché à perfectionner.

Il a fallu transformer, transcender les différences d'intérêt, de sensibilité, par la conscience que nous avions d'un intérêt supérieur dont nous étions comptables devant nos peuples et devant le monde. Nous avons pris des initiatives. Certaines ont paru audacieuses au moment où l'Histoire hésitait, car elle a hésité plusieurs fois.

Nous avons connu l'Europe enlisée avec la menace soviétique du début des années quatre-vingt, les bouleversements de l'Europe de l'Est, la tragédie yougoslave, les tourments monétaires, la crise économique, et j'arrête là une liste qui serait beaucoup trop longue. Nous n'avons jamais baissé les bras. C'est au nom de cet intérêt supérieur que j'ai cru devoir proclamer la solidarité de la France avec l'Allemagne devant le Bundestag en 1983 ; qu'Helmut Kohl a soutenu l'Union économique et monétaire à Maastricht ; que nous nous sommes recueillis sur les tombes de Verdun en 1984 ; que nous avons conduit nos pays sur la voie d'une coopération militaire toujours plus étroite. Certaines de ces initiatives ont naturellement suscité, dans un premier temps, des réactions négatives. Mais au bout du compte, elles ont fait progresser l'idée d'une communauté de destin entre l'Allemagne et la France qui s'impose, de plus en plus, avec la force de l'évidence.

La part de l'amitié dans cette histoire, ce n'est pas simplement une mécanique bien huilée, ou une succession d'habiletés politiques, qui pouvaient d'ailleurs paraître de grossières erreurs. Il y a une dimension humaine que je crois irremplaçable.

Je pense aux centaines d'heures de discussion, aux batailles livrées côte à côte, aux moments d'intense émotion. Vous avez rappelé l'un d'entre eux, votre présence, en tant que Chancelier allemand, sur les Champs-Élysées, le

14 juillet dernier. Nous avons assisté au défilé de nos soldats. Et au-delà de nos personnes, ce sont des générations qui se sont rencontrées.

Quoi d'étonnant si, aujourd'hui, ce qu'on appelle le " couple franco-allemand " est devenu comme une sorte de baromètre de l'Europe. On nous épie, on nous ausculte. La moindre de nos brouilles supposées met en alarme rédactions et chancelleries. L'affirmation de notre bonne entente suscite la jalousie ou le soupçon. Et pourtant, tous nos partenaires le savent, et s'ils ne le savaient pas, je le leur répéterais ce soir : l'entente franco-allemande ne prend tout son sens que parce qu'elle est au service de l'unité européenne.

C'est ce que disait, au demeurant, le Chancelier Kohl, lorsque, dans les journées de 1989, il entendait défendre la cause de l'unité allemande. Oui, l'unité allemande dans le cadre de l'unité européenne, l'amitié franco-allemande au service de l'Union européenne.

Le problème, aujourd'hui, c'est de faire progresser cette union. Car tout danger n'est pas écarté. Tout pessimisme n'a pas disparu. L'embellie économique, si elle se confirme, nous y aidera. Les acquis sont considérables. Il faut les consolider. Il va y avoir encore des moments d'hésitations. Les opinions attendront des résultats immédiats. Les problèmes de politique intérieure, les complications extérieures viendront retarder l'heure des rendez-vous. Il faudra avoir les nerfs solides et tenir bon. Savoir attendre pour décider et pour réussir.

Les Douze se sont collectivement engagés dans cette voie. Nous allons juger, à l'œuvre maintenant, les résultats de Maastricht. N'oublions jamais, sous prétexte de relance ou de nouveauté, le programme que nous nous sommes fixé. Il est déjà très ambitieux. On peut ouvrir des chantiers nouveaux, achevons les chantiers ouverts.

Les priorités s'imposent d'elles-mêmes : poursuivre vers l'Union économique et monétaire ; donner consistance à la politique extérieure et de sécurité ; renforcer les premiers embryons de défense commune ; accompagner la reprise économique par de grands programmes d'infrastructures ; donner toutes leurs chances à nos identités nationales et à nos cultures menacées par la banalisation commerciale mondiale, à nos langues, à ce que nous sommes et qui s'accomplira d'autant mieux que nous serons unis ; mettre en place les systèmes permettant de concilier liberté de circulation et sécurité : j'appelle de mes vœux la réalisation proche désormais, je l'espère, sans obstacle nouvellement hérissé, des accords de Schengen.

Enfin, en même temps qu'elle renforce ses structures, l'Europe est appelée à s'élargir. C'est déjà quasiment fait pour l'Autriche, la Finlande et la Suède. La Norvège en discute ; d'autres pays sont demandeurs. Cela pose le problème des institutions qui seront au cœur de la Conférence intergouvernementale de 1996 et qui suscitent déjà beaucoup de débats.

Helmut Kohl sera présent. Moi, je regarderai cela d'un peu plus loin mais je vous accompagnerai de mes vœux. Il faut réussir ! Cette conférence intergouvernementale sera difficile à conduire. Ce seront nos amis espagnols qui en auront alors la responsabilité. Mais c'est à nous, Allemands et Français, puisque nous assurons successivement la présidence, de préparer le terrain. Nous devrons accroître la légitimité des institutions. Nous devrons nous préparer à accueillir avec le maximum de chance les pays d'Europe centrale, orientale et méditerranéenne, qui se pressent aux portes de l'Union et qui en attendent un surcroît de sécurité et de bien-être pour leurs peuples.

L'Union ne fonctionnera pas à vingt ou plus comme elle le faisait à douze. L'essentiel est qu'en s'élargissant l'Europe ne perde pas sa capacité d'agir. Bien entendu, les futurs élargissements posent beaucoup de problèmes aux actuels pays membres, surtout aux pays contributeurs nets – je pense à l'Allemagne, à la France et à l'Angleterre – qui apportent plus de financements à l'Europe qu'ils n'en reçoivent. Ces trois pays supportent déjà une charge plus importante que les neuf autres partenaires de l'Europe des douze. Et avec ceux qui prétendent à l'adhésion – car chacun a le droit d'être un jour membre de l'Union européenne –, il faudra mener bien des discussions complexes, en fonction de la situation économique de chacun, pour que ce ne soit pas nos quelques pays qui aient à supporter tout l'effort économique du redressement européen. Il faut donc discuter de cela très sérieusement. Ce ne sont pas des questions sur lesquelles on puisse faire l'impasse.

Les institutions, elles, doivent être de plus en plus démocratiques. Là-dessus, il n'y a pas de difficultés entre nous. Elles doivent, de plus en plus, tendre à organiser des politiques communes. Voyez comme l'Europe manque aujourd'hui pour tenter de prévenir ou de résoudre les conflits qui se développent ! Voyez ce qui se passe dans l'ancienne Yougoslavie, ce qui peut se passer demain dans d'autres pays ! Je pourrais déjà poser mon doigt sur la carte et dire où cela se passera ! Encore mes prévisions ne seraient-elles pas toujours justes. Il y a là une absence, une carence qu'on ne peut pas reprocher à l'Union européenne puisque ce n'est que depuis Maastricht que l'Europe s'est accordé une responsabilité qu'elle n'avait pas auparavant. Mais on voit bien que le temps presse.

Je ne vais pas vous entretenir de l'Europe de A à Z. Mais, puisque l'on parle de l'Europe et de l'amitié franco-allemande, je veux insister sur le rôle de la presse. La responsabilité des médias, en effet, est très grande dans la perception qu'auront nos opinions publiques de la construction européenne, car c'est maintenant devenu un débat public. Ce n'est plus l'apanage d'un petit groupe, d'une élite, d'une classe sociale, ou d'un groupe socio-professionnel. Ceux-là ont rendu de grands services dans le passé, car ils ont mis la machine en marche. Mais maintenant, c'est l'affaire de tous, c'est l'affaire des citoyens. L'Europe des citoyens est quand même l'aboutissement final de toutes les organisations techniques et politiques.

J'ai, moi-même, cherché à confirmer cette évolution dans mon pays lorsque à la surprise presque générale j'ai demandé un référendum, qu'aucune règle constitutionnelle n'imposait, pour approuver le traité de Maastricht. Je savais que c'était risqué, comme cela eût été risqué dans quasi-ment tous les pays d'Europe. L'opinion publique n'est pas toujours formée avec le même soin dont font preuve ceux qui se passionnent ou qui connaissent, par leurs voyages, par leurs relations d'affaires, l'Histoire et qui ont un pres-sentiment du devenir de l'Europe.

La France s'est donc engagée. Oh, de justesse ! On m'a d'ailleurs objecté que c'était peu. Mais si on avait perdu, on m'aurait dit que c'était la démocratie ! On a gagné : c'est encore la démocratie ! Le peuple français s'est engagé. Cet ouvrage ne saurait être défait par l'action de quelques-uns. On ne peut tout de même pas remettre en cause la parole du peuple à chaque aléa de la politique intérieure.

J'ai confiance dans l'évolution de l'opinion publique même si, tous les trois mois, des sondages, des vagues de ressentiments, des difficultés politiques ou des contestations internationales font que de nombreuses catégories socio-professionnelles dénoncent l'Europe, le Conseil européen, la Commission... On est tenté de se dire à ces moments-là : " Il ne faudra plus se retourner vers l'opinion, car on risque de voir mise à bas la construction que nous avons édifiée si difficilement. " Mais non, c'est une erreur ! Au contraire, il faut rechercher le débat et la confrontation. La presse, aussi bien audiovisuelle qu'écrite, est en mesure d'apporter à l'opinion les éléments indispensables à sa réflexion.

Nous avons entrepris une œuvre de longue haleine. Ce n'est qu'avec du recul que l'on jugera les progrès accomplis. On passera encore par des phases de découragement et par des phases d'exaltation. L'important, c'est de ne pas perdre le fil. Laissons le temps et l'Histoire décanter l'ordre des choses, faire le tri entre l'essentiel et l'accessoire ! Le Chancelier se souvient, comme moi, de la nature des débats européens il y a dix ans. L'Europe de 1982 était en panne et s'angoissait du passage de dix à douze membres. Aujourd'hui, on débat de souveraineté, de monnaie unique, de défense ; on envisage d'ouvrir l'Union à toutes les démocraties du continent. En bref, l'audace est désormais portée par le rêve et par la connaissance des intérêts communs.

Je veux remercier ceux qui y ont contribué, et notamment le Chancelier Kohl. On peut dire qu'il a été pour moi un compagnon de travail et d'imagination puisque le hasard historique a voulu que nous partagions douze années de responsabilité politique. Je veux que vous sachiez que je suis sensible à ses marques d'amitié et parfois d'affection, qu'elles ne me laissent pas froid ni indifférent. Pour moi, la responsabilité politique ne peut se passer des éléments affectifs. On ne construit pas simplement avec des pierres ou du ciment.

Je raconte quelquefois cette histoire, qui n'est pas de moi : au Moyen Âge, un étranger voit des ouvriers qui mettent des pierres les unes sur les autres. Il s'arrête et demande aux maçons : " Que faites-vous là ? – Eh bien, vous voyez bien, on met des pierres les unes sur les autres ! " Puis il va s'adresser à un autre groupe qui, plus loin, fait la même chose, et pose la même question : " Qu'est-ce que

vous faites ? " Et les ouvriers de répondre : " Nous bâtissons
une cathédrale. " C'est toute la différence. Nous avons
essayé de bâtir une cathédrale. Merci d'avoir bien voulu le
remarquer. »

L'ESPRIT EN PAIX *

« Je suis venu à vous ce soir, à Berlin, en ma qualité de président de la République française et c'est à ce titre que je vous parle. Comme il s'agit de l'un des derniers actes que j'accomplirai dans ce rôle, je suis fier que cela soit ici avec vous.

C'était bien le moins que je devais à l'Allemagne. À l'Allemagne d'aujourd'hui, mais aussi à l'Allemagne de toujours que l'histoire, la géographie, la culture ont indissolublement liée à la France. Étrange, cruelle, belle et forte aventure que celle de ces peuples frères auxquels il aura fallu plus d'un millénaire pour se reconnaître tels qu'ils sont, pour s'admettre, pour s'unir, pour chercher l'un chez l'autre les leçons de la science, de la philosophie, de la politique, pour revenir ensemble à leur propre source.

Sur ce thème, bien entendu, nous pourrions parler longtemps. C'était déjà un peu le contenu des allocutions

* Discours à l'occasion du cinquantième anniversaire de la fin de la guerre en Europe, *Berlin, 8 mai 1995*. Ce texte est paru précédemment dans François Mitterrand, *Onze Discours sur l'Europe (1982-1995)*, Vivarium, 1996.

précédentes. Vous connaissez le discours, mais il ne faut pas cesser de le répéter. Nous revenons de si loin. L'Europe s'est construite ou reconstruite en un demi-siècle, sur tant de ruines, de désastres et de morts ! Il faut l'expliquer. Ce n'est pas simplement le résultat de la bonne volonté ou des bonnes intentions. C'est aussi parce que les générations précédentes ont supporté le poids de deux guerres mondiales. Je crois être parmi vous l'un des rares, et c'est tant mieux pour vous, à avoir vécu cette Seconde Guerre mondiale comme soldat. Et le 8 mai 1945, j'étais soldat à Paris. Il est intéressant peut-être de savoir ce que pouvait en penser un jeune homme de vingt-cinq ans. Bataille perdue d'abord, bataille gagnée ensuite, contre qui et pourquoi ? Toutes ces questions se posaient. Il était facile d'en rester au point où nous en étions. Facile de penser que l'on pourrait résoudre tous les problèmes par la force, par la violence, par la loi du plus fort. Et c'est précisément une prise de conscience qui a changé le cours de l'histoire.

Je suis venu célébrer chez vous le 8 mai 1945, exactement comme l'ont fait le Président et le Chancelier allemands ce matin à Paris. C'est une réflexion sur le sens de ce 8 mai que je veux approfondir, car je crois que nos fils considéreront avec étonnement ce rassemblement de tant de peuples qui se sont tant meurtris, cette célébration d'un événement où la victoire et la défaite se mêlent, où chacun compte et pleure ses morts, en oubliant parfois de s'émerveiller que de ces morts soit née la prise de conscience de ce qu'une civilisation peut faire et de ce qu'elle ne doit pas faire, de ce que l'avenir attend et de ce qu'il interdit. Bref, cette prise de conscience qui s'appelle le triomphe de la vie.

Je vous le disais à l'instant, j'ai vécu ce 8 mai 1945 à Paris. Cinquante ans plus tard, nous sommes à Berlin.

Lorsque j'évoque le rôle qui est le mien aujourd'hui, qui s'achève, mais qui est encore le mien, de présider aux destinées de la Nation française, je ne peux m'empêcher de songer aux extraordinaires efforts et aux grandes réussites menés par les politiques responsables de nos différents pays d'un côté et de l'autre.

Rien n'eût été possible sans les premiers appels de Churchill ; j'ai eu le bonheur de les entendre moi-même. Rien n'eût été possible sans ces quelques dizaines d'Européens venus de chacun de nos pays ; on parle naturellement de Schuman, de Monnet, d'Adenauer, de Gasperi et de bien d'autres, qui dans le même moment ont tiré la même conclusion du même désastre qu'ils avaient vécu, et cela précisément par-dessus leurs frontières. L'ennemi d'hier était l'ami d'aujourd'hui. Au fond, que s'était-il passé ? Je sais que le débat existe en Allemagne. Il ne peut pas ne pas exister. Est-ce une défaite que nous célébrons ? Est-ce une victoire ? Et quelle victoire ? C'est la victoire de la liberté sur l'oppression, sans aucun doute. Mais c'est surtout à mes yeux − et tel est le seul message que je voudrais laisser − une victoire de l'Europe sur elle-même.

Et dans ce camp-là, nous sommes tous unis et rassemblés. Je ne peux pas faire de distinction, au cours des quatorze années que je viens de vivre à la tête de mon pays, entre l'apport de tel ou tel homme d'État, l'apport de tel ou tel peuple à la construction de l'Union européenne − pour ne parler que de celle-là, car au-delà de l'Union européenne, et depuis novembre 1989, il y a l'ouverture sur l'Europe tout entière, sur le continent. Chacun sait bien qu'une structure provisoire est née de la nécessité il y a cinquante ans, mais qu'elle n'est que le prélude à ce qui sera construit demain et qui donnera enfin à l'Europe son sens.

Je voudrais ajouter une note avant de terminer. J'ai vécu toutes les étapes de la construction de l'Union européenne avec tout ce qui l'entoure, et qu'évoquait fort bien John Major tout à l'heure. J'ai vécu aussi la guerre elle-même et je sais que si la victoire est revenue dans mon pays, c'est en faisant bien des détours.

Un détour par le ciel anglais, un détour par les espaces africains, un détour par d'immenses territoires et l'héroïsme russe, un détour par les profondeurs du Nouveau Monde américain qui répondait à sa vocation initiale pour venir au secours de la liberté, là où elle était perdue ou menacée. Mais aussi ce pays, le mien, qui fut d'abord vaincu et occupé, a reconnu la victoire avec ses alliés, grâce à ses alliés mais aussi par la révolte du corps et de l'esprit devant l'horreur des camps de concentration, de l'Holocauste, l'oubli de toutes les valeurs et de toutes les vertus humaines, de la vie, du respect de la vie, et donc de l'espoir : de tout ce qui respire, de tout ce qui grandit, de tout ce qui renaît d'une année sur l'autre, car le printemps n'est pas fait que pour les plantes et les choses. C'est pourquoi je veux rendre témoignage aujourd'hui, sans arbitrer. Victoire, défaite, victoire pour qui ? défaite pour qui ? Sans vouloir arbitrer, je veux quand même me souvenir de ce que j'ai vu moi-même à l'époque où Hitler était le maître de l'Europe et où j'étais ce soldat blessé et prisonnier en Allemagne. Dans ma solitude d'une prison en Allemagne, après avoir tout perdu, jusqu'à mon identité, et pendant des mois, n'ayant plus aucun espoir. Le ciel était sombre. N'était-ce pas la victoire de l'idéologie terrible qui venait de maîtriser une partie de l'Europe ? Comment espérer en d'autres que moi, qui se trouvaient en d'autres lieux, et comment espérer là, en pleine Allemagne, nazie pour mille ans ? Eh bien, j'ai repris espoir parce que j'ai connu des Allemands.

Oui, je les ai connus. C'étaient quelquefois mes gardiens. C'étaient les soldats allemands chargés de m'empêcher de retrouver ma liberté, et qui n'y sont d'ailleurs pas parvenus. C'était une partie de votre peuple qui échappait en vérité aux commandements, aux directives, aux enthousiasmes fallacieux, aux rassemblements, à la passion, à l'enthousiasme de la victoire du début ; des Allemands qui résistaient peut-être sans le savoir, parce qu'ils étaient tout simplement d'honnêtes gens. Quand les ai-je connus ? Pendant la guerre. Et où ? En Allemagne. Par la suite, quand je suis revenu en France, dans la France occupée, après une évasion, j'ai réfléchi à cet antagonisme entre l'Allemagne et la France. Je me suis rendu compte, et je l'ai dit en d'autres lieux, que j'avais appris moi-même dans mon pays de quoi alimenter toutes les guerres futures contre l'Allemagne et quelques autres, et qu'il en avait été de même dans la plupart des pays d'Europe, puisque nous avons à travers les siècles accumulé ce que nous appelions sottement les " ennemis héréditaires ". Eh bien voilà ! Les ennemis héréditaires, ils sont là.

L'hérédité n'a pas tenu, les lois de la biologie n'ont pas résisté à celle d'une autre nécessité, qui va beaucoup plus loin et qui est celle d'une mémoire humaine et d'une solidarité entre les peuples contraints de vivre sur une planète qui se rétrécit chaque jour, qui s'abîme chaque jour, d'une planète en péril : notre bien commun, qu'il convient de sauver tous ensemble plutôt que de l'abîmer avec des raids aériens, des bombes, des moyens de destruction qui permettraient sans doute de détruire la Terre pour peu qu'on le veuille.

Ce n'est donc pas mon expérience de chef de l'État que je vous livre. La politique européenne sera poursuivie après moi comme elle avait commencé avant moi ; peut-être pas de la même façon, mais finalement l'Histoire oblige, l'Histoire commande, et on sera toujours là pour le rappeler aux autres. Ce que nous avons fait doit être poursuivi et le sera. Je le disais tout à l'heure : la première victoire qui soit commune, c'est la victoire de l'Europe sur elle-même.

Alors demain, il faudra parfaire l'œuvre accomplie, qui n'est pas achevée et ne le sera d'ailleurs jamais. Les dissentiments, les rivalités, les compétitions, le goût du sang, le goût de la mort, voyez comment en Europe même cela se poursuit dans certains pays, dans certaines zones de ce même continent, à quelques centaines de kilomètres de chez nous. Il faut donc que notre état d'esprit se fonde sur l'expérience, sur l'expérience de ceux qui ont combattu. Tel est le dernier message que je pourrai laisser. J'ai voulu prendre part, dès les années 1947-1948, au premier rassemblement européen, parce que j'avais été un soldat et parce que j'avais connu la haine autour de moi, parce que je me rendais compte que cette haine devait être moins forte que la nécessité de vivre pour l'Europe et pour les Européens. Et que ces frères, s'ils étaient ennemis, étaient d'abord des frères. Je ne parle ici que de l'Europe, du continent où je vis ; mais je pense que la leçon, un jour, sera vraie pour tous les hommes de la Terre.

Voilà ce que je voulais vous dire. Je ne suis pas venu célébrer la victoire dont je me suis réjoui pour mon pays en 1945. Je ne suis pas venu souligner une défaite, parce que j'ai su ce qu'il y avait de fort dans le peuple allemand, ses vertus, son courage — et peu m'importe son uniforme, et même l'idée qui habitait l'esprit de ces soldats qui allaient mourir en si grand nombre. Ils étaient courageux. Ils acceptaient la perte de leur vie. Pour une cause mauvaise, mais leur geste à eux n'avait rien à voir avec cela. Ils aimaient leur patrie. Il faut s'en rendre compte. L'Europe, nous la faisons, nous aimons nos patries. Restons fidèles à nous-mêmes. Relions le passé et le futur, et nous pourrons, l'esprit en paix, passer le témoin à ceux qui vont nous suivre. »

TABLE DES MATIÈRES

OUVRAGES DE FRANÇOIS MITTERRAND

Les Prisonniers de guerre devant la politique, Éd. du Rond-Point,
    1945.
Aux frontières de l'Union française, Julliard, 1953.
Présence française et abandon, Plon, 1957.
La Chine au défi, Julliard, 1961.
Le Coup d'État permanent, Plon, 1964.
Ma part de vérité, Fayard, 1969.
Un socialisme du possible, Éd. du Seuil, 1971.
La Rose au poing, Flammarion, 1973.
La Paille et le Grain, Flammarion, 1975.
Politique I, Fayard, 1977.
L'Abeille et l'Architecte, Flammarion, 1978.
Ici et maintenant, Fayard, 1980.
Politique II, Fayard, 1982.
Réflexion sur la politique extérieure de la France, Fayard, 1986.
Mémoire à deux voix (avec Élie Wiesel), Odile Jacob, 1995.
Onze Discours sur l'Europe (1982-1995), Institut italien pour les
    études philosophiques / Centre de recherches sur l'Europe
    (EHESS, Paris), Vivarium, coll. « Bibliotheca Europea », 1996.
Mémoires interrompus, Odile Jacob, 1996.

CET OUVRAGE A ÉTÉ COMPOSÉ
ET ACHEVÉ D'IMPRIMER SUR ROTO-PAGE
PAR L'IMPRIMERIE FLOCH À MAYENNE
EN AVRIL 1996

No d'impression : 39360.
No d'édition : 7381-0403-1.
Dépôt légal : avril 1996.
Imprimé en France